Grammaire italienne

Marie-France Merger Leandri

Agrégée d'italien

Professeur à l'Université de Pise

Conception maquette : Al'Solo
Mise en page : Al'Solo
Coordination éditoriale : Isabelle Lecharny
Édition : Petra Niggemann
Révision des textes : Monique Pouradier-Duteil

ISBN 2-04-730251-X

Introduction

Cette grammaire a pour but essentiel de répondre aux besoins non seulement des élèves des collèges et des lycées, mais aussi de tous les adultes qui souhaitent étudier l'italien ou réviser leurs connaissances dans cette langue.

Une préoccupation fondamentale caractérise cet ouvrage : il nous est apparu important, en effet, de mettre en valeur les différences de structures et d'emplois des deux langues « voisines », en insistant sur les difficultés inhérentes à ces divergences.

Nous ne cherchons pas à rivaliser avec les ouvrages plus érudits et plus techniques ; ainsi, les emplois trop rares ou archaïques destinés aux spécialistes ne sont pas signalés. Sans négliger cependant la langue littéraire, notre intention est de mettre l'accent sur l'usage de la langue d'aujourd'hui, une langue vivante en constante évolution.

La nouvelle édition, revue et corrigée, contient de nombreux ajouts. Les exercices corrigés ont été regroupés à la fin de chaque chapitre. Ils utilisent un vocabulaire volontairement simple, leur but étant de favoriser l'acquisition rapide des automatismes de base de la langue.

Sommaire

1 Les phonèmes de l'italien

1. Les voyelles

[a]	*cane*	[kane][1]	[o]	*sole*	[sole]
[e]	*vedi*	[vedi]	[ɔ]	*modo*	[mɔdo]
[ɛ]	*era*	[ɛra]	[u]	*uva*	[uva]
[i]	*vita*	[vita]			

Remarques

- Le ***e*** italien n'est jamais muet, il est toujours prononcé.

- Les voyelles ***e*** et ***o*** ont une prononciation ouverte ou fermée quand elles sont toniques (▷ voir page 10) ; si elles sont atones, elles sont toujours fermées. L'ouverture de ces deux voyelles varie d'une région à l'autre de l'Italie, mais c'est l'usage toscan qui est considéré comme correct ; en cas de doute, il faut donc recourir au dictionnaire qui reflète cet usage.

La prononciation ouverte ou fermée de ***e*** et de ***o*** revêt une certaine importance là où elle constitue le seul élément distinctif, c'est-à-dire dans les homographes.

[ɛ] (e ouvert)
la pesca (la pêche [fruit])
venti (des vents)
legge (il lit)
mente (il ment)

[e] (e fermé)
la pesca (la pêche [à la ligne])
venti (vingt)
la legge (la loi)
la mente (l'esprit [faculté intellectuelle])

[ɔ] (o ouvert)
colto (cueilli)
foro (forum, place)
mozzo (moyeu)

[o] (o fermé)
colto (cultivé)
foro (trou)
mozzo (mousse [sur un navire])

- Le ***u*** italien, s'il n'est pas précédé de ***q***, est toujours prononcé [u] comme dans le français « ou ». Le phonème [y] du français « mur » n'existe pas.

- Il n'existe pas de voyelles nasales en italien ; les consonnes ***m*** et ***n*** qui suivent une voyelle se prononcent séparément :
  angelo, ombra, ingresso

1. Nous utilisons les symboles de l'Association phonétique internationale.

2. Les semi-consonnes et les diphtongues

Les semi-consonnes n'apparaissent que dans les diphtongues qui sont des unités phonétiques formées d'un ***i*** ou d'un ***u*** atone suivi d'une voyelle tonique ou non. On les prononce en une seule émission de voix mais chaque voyelle conserve sa prononciation propre, selon le principe de base de la prononciation de l'italien : toutes les lettres se prononcent.

Semi-consonne diphtongue :
[j] ***ia ie io iu*** : *piano, ieri, piove, più*
[w] ***ua ue uo ui*** : *quando, guerra, uomo, guida*

La voyelle peut précéder le ***i*** ou le ***u*** comme dans les diphtongues ***ai***, ***ei***, ***oi***, ***au***, ***eu*** :
dai, sei, poi, Mauro

L'union de ***i***, de ***u*** et d'une autre voyelle – généralement accentuée – forme une triphtongue :
aiuola, figliuolo

Les voyelles ***a***, ***e***, ***o*** ne forment pas de diphtongues entre elles. En ce cas, il y a hiatus et les voyelles sont prononcées séparément :
paese, corteo, aereo

Il y a hiatus également lorsque ***i*** ou ***u*** sont accentués et après les préfixes ***ri-***, ***bi-*** et ***tri-*** :
una spia (un espion), *la paura, una riunione, biennale, il triangolo*

3. Les consonnes

b, ***d***, ***f***, ***l***, ***p*** et ***v*** ont la même prononciation qu'en français.

c +	a o u	[k]	ont le son vélaire du français « **c**ase », « **q**ui » : *casa, come*
c + h +	e i	[k]	On ajoute un ***h*** devant les voyelles ***i*** et ***e*** pour garder ce même son vélaire : *che, chimica*
c +	e i	[tʃ]	correspond au français « **tch**èque » : *cena, cima*
c +	ia io iu	[tʃ]	La voyelle ***i*** n'a qu'une fonction graphique et n'est pas prononcée : *camicia, bacio* Si l'accent tonique tombe sur le ***i***, la voyelle est alors prononcée comme dans : *farmacia*

g +	a o u	[g]	a le son vélaire du français « **gu**erre » : *gamba*
gh +	e i	[g]	Pour garder ce même son vélaire devant les voyelles ***i*** et ***e***, on ajoute un ***h*** : *ghepardo, righe*
g +	e i	[dʒ]	correspond au son français de « **dj**inn », « **dj**ellaba », « a**dj**ectif » : *gesto, giro*
g +	ia io iu	[dʒ]	Mêmes remarques que pour les groupes ***cia***, ***cio***, ***ciu*** : *gioco, giusto* Si le ***i*** est accentué, il est prononcé comme dans : *magia*
gl + i		[ʎ]	a un son très mouillé : *figlio, egli* sauf dans quelques mots : *glicerina, glicine, negligenza*
gl +	a e o u	[gl]	correspond au son français dans « **gl**u », « an**gl**ais » : *glaciale, gloria*
gn + voyelle		[ɲ]	Même son que dans « a**gn**eau », « monta**gn**e » : *gnocchi, agnello, montagna*
h			Cette lettre ne représente aucun son, elle n'est qu'un signe graphique qui entre dans les groupes ***che***, ***chi***, ***ghe*** et ***ghi***. On l'utilise également dans quelques interjections : *ah !, oh !, ohimé !* et à l'indicatif présent du verbe *avere* (avoir) 1re et 2e personnes du singulier : *ho* (j'ai), *hai* (tu as), et 3e personnes du singulier et du pluriel : *ha* (il a), *hanno* (ils ont).
qu +	a e i o	[kw]	***q*** est toujours suivi de la semi-consonne ***u*** [w] + voyelle : *quadro, qui, questo*

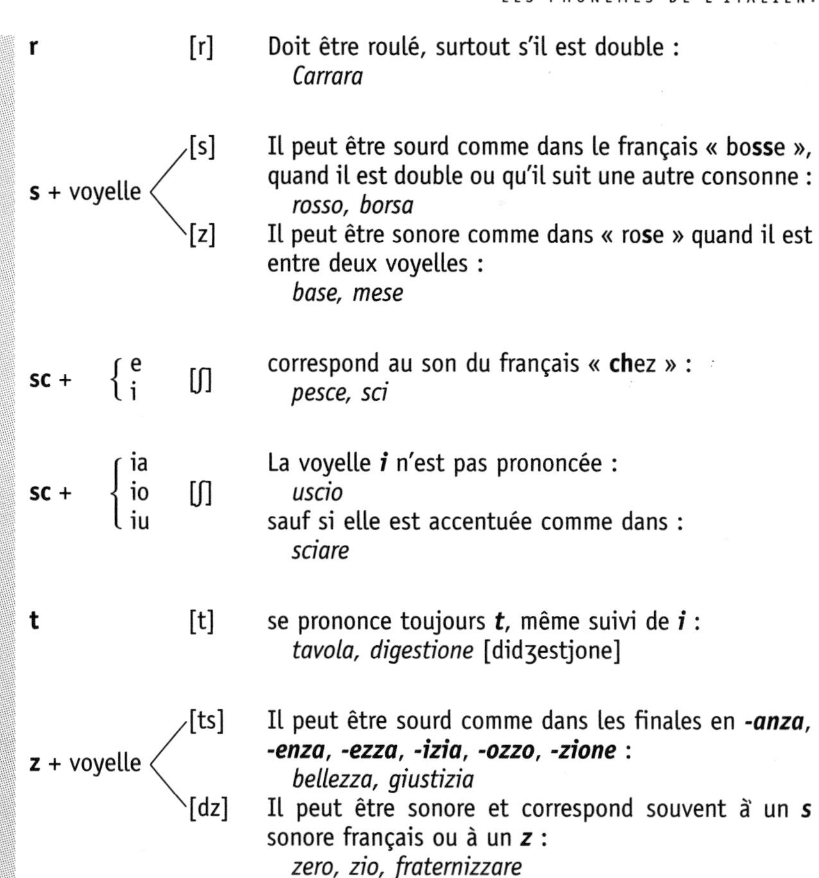

Graphie	Son	Prononciation
r	[r]	Doit être roulé, surtout s'il est double : *Carrara*
s + voyelle	[s]	Il peut être sourd comme dans le français « bo**ss**e », quand il est double ou qu'il suit une autre consonne : *rosso, borsa*
	[z]	Il peut être sonore comme dans « ro**s**e » quand il est entre deux voyelles : *base, mese*
sc + { e, i }	[ʃ]	correspond au son du français « **ch**ez » : *pesce, sci*
sc + { ia, io, iu }	[ʃ]	La voyelle ***i*** n'est pas prononcée : *uscio* sauf si elle est accentuée comme dans : *sciare*
t	[t]	se prononce toujours ***t***, même suivi de ***i*** : *tavola, digestione* [didʒestjone]
z + voyelle	[ts]	Il peut être sourd comme dans les finales en ***-anza***, ***-enza***, ***-ezza***, ***-izia***, ***-ozzo***, ***-zione*** : *bellezza, giustizia*
	[dz]	Il peut être sonore et correspond souvent à un ***s*** sonore français ou à un ***z*** : *zero, zio, fraternizzare*

4. Les consonnes doubles

En italien, les consonnes peuvent être redoublées lorsqu'elles sont en position intervocalique. Dans ce cas, elles doivent être prononcées plus énergiquement que les consonnes simples ; leur durée est donc plus longue. Une mauvaise prononciation peut entraîner une confusion entre des mots dont le sens est différent :

copia (copie)	*coppia* (couple)
caro (cher, chéri)	*carro* (chariot)
eco (écho)	*ecco* (voici)

Toutes les consonnes peuvent être redoublées à l'exception de ***h***, qui n'est qu'un signe graphique, et des consonnes qui ne font pas partie de l'alphabet italien : ***k***, ***x*** et ***w***. La consonne ***q*** n'est redoublée que dans le mot *soqquadro* : *mettere a soqquadro* (mettre sens dessus dessous) mais on trouve la graphie ***cq*** : *acqua, nacqui*... qui équivaut au redoublement de ***q***.

5. L'accent tonique

Lorsque nous prononçons un mot, par exemple *finestra*, la voix s'arrête avec plus d'intensité sur une syllabe, *-nes-*, et en particulier sur la voyelle de celle-ci, c'est donc sur elle que porte l'accent. On parle de voyelle et de syllabe **toniques** alors que les autres syllabes et voyelles du mot sont dites **atones**.

Il faut distinguer l'accent tonique – propre à chaque mot – de l'accent graphique que l'on utilise dans certains cas pour indiquer l'emplacement de l'accent tonique.

- La plupart des mots italiens sont accentués sur l'avant-dernière syllabe ***(le parole piane)*** :
  ***sa**le, **pa**ne, na**zio**ne, pass**a**re*

- L'accent peut porter sur la dernière syllabe ; en ce cas il y a également un accent graphique. Ce sont des mots « tronqués » ***(le parole tronche)*** :
  *vir**tù**, caf**fè**, cit**tà**.*

- Certains mots sont accentués sur l'antépénultième syllabe ***(le parole sdrucciole)*** :
  ***ta**vola, **ce**lebre, psi**co**logo*

- Rares et difficiles à prononcer sont les mots accentués sur la quatrième syllabe à partir de la dernière ***(le parole bisdrucciole)***. Ce sont généralement des formes verbales :
  *te**le**fonano, **sci**volano* (ils glissent)

- Dans quelques formes verbales composées avec des pronoms enclitiques (formant une seule unité), à l'impératif par exemple, l'accent peut porter sur la cinquième syllabe à partir de la dernière :
  ***re**citamela* (récite-la-moi)

- Il est obligatoire d'indiquer graphiquement l'accent :

– sur les mots tronqués de deux syllabes ou plus :
  facoltà, libertà

– sur certains monosyllabes :
  già, giù, ciò

– sur d'autres monosyllabes pour les distinguer de leurs homographes :

dà (il donne)	*da* (préposition)
dì (jour)	*di* (préposition)
là (adverbe)	*la* (article)
né (ni)	*ne* (pronom personnel)
sé (soi)	*se* (si, conjonction)
sì (oui)	*si* (se, pronom)
tè (thé)	*te* (toi)

Pour éviter l'ambiguïté, on peut aussi indiquer graphiquement l'accent sur certains mots homographes qui ont un accent tonique différent et un sens différent :

i princìpi (les principes) — *i prìncipi* (les princes)
subìto (subi) — *sùbito* (tout de suite)
seguìto (suivi) — *il sèguito* (la suite)

2 L'article

1. L'article défini

	singulier	pluriel
masculin	**il** ragazzo **il** fiore **lo** specchio **lo** zio **lo** psicologo **l'**anno	**i** ragazzi **i** fiori **gli** specchi **gli** zii **gli** psicologi **gli** anni
féminin	**la** casa **la** zia **l'**ombra	**le** case **le** zie **le** ombre

- Au masculin on emploie la forme ***il*** (pluriel ***i***) devant les mots qui commencent par une consonne :
  ***il** muro, **il** tavolo*

Devant les mots commençant par ***s*** impur (***s*** + consonne), ***x***, ***y*** ou ***z***, les groupes ***gn***, ***pn***, ***ps*** et la semi-consonne ***i*** + voyelle, on emploie ***lo*** (pluriel ***gli***) :
***lo** studio, **lo** zio, **lo** yogurt, **lo** xenofobo, **lo** pneumatico*

La forme ***lo*** s'élide devant les mots masculins commençant par une voyelle :
***l'**anno, **l'**aereo*

mais le pluriel est toujours ***gli***.

- La forme ***lo*** est conservée devant une consonne dans des expressions figées :
  *per **lo** più* (en général)
  *per **lo** meno* (du moins, au moins)

- Au féminin, on emploie la forme ***la*** devant les mots qui commencent par une consonne ou par la semi-consonne ***i*** + voyelle :
  ***la** casa, **la** scatola, **la** iena*

Devant une voyelle, la forme ***la*** s'élide :

l'ombra, l'unghia

Au pluriel, il y a une seule forme : ***le***.

■ Emplois particuliers de l'article défini

Il est utilisé :

- avec les noms de montagnes :

  ***le** Dolomiti, **l'**Etna, **lo** Stromboli, **i** Pirenei*

- avec les noms de mers, d'océans, de fleuves, de lacs, de grandes îles, de régions et de pays :

  ***il** Mediterraneo, **l'**Arno, **il** Garda, **la** Sicilia, **il** Madagascar, **il** Lazio, **la** Toscana, **la** Francia, **l'**Italia*

  QUELQUES EXCEPTIONS pour les noms d'îles : *Creta, Cipro, Sumatra* ne sont pas précédés de l'article défini.

- avec l'adjectif possessif (▷ voir page 43) :

  ***la** sua borsa* (son sac)

- pour indiquer l'heure et l'année (▷ voir pages 77 et 78) :

  *Sono **le** tre.* (Il est trois heures.)
  *È nata **nel** 1978.* (Elle est née en 1978.)

- devant les pourcentages :

  *Hanno anticipato **il** 30 % del prezzo del soggiorno.*
  (Ils ont avancé 30 % du prix du séjour.)
  ***Il** 20 % dei candidati è stato ammesso.*
  (20 % des candidats ont été admis.)

- avec les noms d'entreprises :

  ***la** Renault, **la** Telecom Italia*

- avec les noms d'équipes sportives :

– les formes adjectivales sont souvent au féminin :

  ***la** Fiorentina, **la** Triestina, **la** Lucchese*

– les équipes portant un nom de ville sont en général au masculin :

  ***il** Torino, **il** Milan, **il** Napoli*

Notez cependant : *la Roma, l'Atalanta* (fém.)

- en général avec les noms de famille :

– obligatoire quand il s'agit de femmes :

  ***la** Duse, **la** Morante, **la** Loren*

ou au pluriel, quand on parle de tous les membres d'une famille :
i Borgia, gli Sforza

– avec les noms d'hommes au singulier, l'article tend à être supprimé :
Ho incontrato (il) Pierini. (J'ai rencontré Pierini.)

sauf quand il s'agit d'écrivains célèbres :
il Petrarca, l'Alighieri

mais on dira : *Dante, Michelangelo* parce que ce sont des prénoms et *Virgilio, Omero* parce qu'ils appartiennent à l'Antiquité.

On ne met pas l'article devant les noms de compositeurs :
Vivaldi, Verdi, Wagner

En outre, on a tendance à omettre l'article pour les écrivains du XXe siècle et les contemporains :
Pirandello, Svevo, Eco

- pour indiquer une œuvre :
  *Hai visto **il** Raffaello di quella mostra ?*
  (Tu as vu le Raphaël de cette exposition ?)

- devant les mots ***Signore, Signora, Signorina*** :
  ***La** Signora Casati è uscita ?* (Madame Casati est-elle sortie ?)

mais l'article est supprimé si on s'adresse directement aux personnes :
Buon giorno, signora Casati ! (Bonjour, madame Casati !)
Signor Presidente (Monsieur le président)

2. L'omission de l'article défini

On ne trouve pas d'article défini

- avec les noms de rois ou de papes :
  Papa Giovanni Paolo II ha benedetto la folla.
  (Le pape Jean-Paul II a béni la foule.)

- dans la majorité des expressions adverbiales :
  in fondo (au fond), *a caso* (au hasard), *in mano* (à la main), *a occhi chiusi* (les yeux fermés)

- dans certaines expressions telles que :
  giocare a carte (jouer aux cartes), *andare a scuola, a casa, in giardino* (aller à l'école, à la maison, au jardin), *abitare in campagna* (habiter à la campagne), *andare a teatro* (aller au théâtre)

sauf si le nom est déterminé par un complément :
*Vado **al** Teatro delle Vittorie.* (Je vais au théâtre des Victoires.)

- dans quelques expressions temporelles :
  Mi piace uscire di notte. (J'aime sortir la nuit.)
  di notte, di giorno, di sera (la nuit, le jour, le soir)

- devant les noms qui forment une locution avec le verbe :
  avere fame (avoir faim), *avere coraggio* (avoir du courage)
  Ci vuole pazienza ! Ci vuole coraggio ! (Il faut de la patience ! Il faut du courage !)

- dans certains proverbes :
  Chiodo scaccia chiodo. (Un clou chasse l'autre.)

- dans les expressions exclamatives et vocatives :
  Ragazzi, è pronto ! (Les enfants, c'est prêt !)
  Arrivederci ragazzi ! (Au revoir les enfants !)

L'article défini déjà exprimé avec le superlatif relatif n'est pas repris (▷ voir page 34) :
  l'avventura più straordinaria (l'aventure la plus extraordinaire)

3. L'article indéfini

masculin	féminin
un ragazzo	***una*** ragazza
un *fiore*	***una*** *finestra*
uno *zio*	***una*** *zia*
uno *psicologo*	***una*** *psicologa*
un *anno*	***un'****ombra*

- Au masculin, on emploie ***un*** devant les mots commençant par une consonne ou par une voyelle, à l'exception des cas mentionnés ci-dessous. On emploie ***uno*** devant ***s*** impur (***s*** + consonne), ***x***, ***y*** ou ***z***, les groupes ***gn***, ***pn***, ***ps*** et la semi-consonne ***i*** atone + voyelle :
  uno *Spagnolo* (un Espagnol), ***uno*** *iato* (un hiatus),
  uno *psicologo* (un psychologue)

- Au féminin, on utilise la forme ***una*** qui s'élide devant une voyelle, sauf devant le ***i*** atone + voyelle (diphtongue) :
  una *casa*, ***una*** *zia*, ***una*** *iena*
  un'*isola*, ***un'****ombra*

→ **N.B.** Rappelons qu'il n'y a pas d'apostrophe avec ***un*** devant voyelle au masculin singulier. Il faudra donc bien distinguer – du moins à l'écrit – :
  un *assistente* (un assistant) et ***un'****assistente* (une assistante)
  un *artista* (un artiste) et ***un'****artista* (une artiste)

- L'article indéfini n'a pas de pluriel. Il existe cependant les formes du partitif : ***dei***, ***degli***, ***delle*** (▷ voir ci-dessous) ainsi que les adjectifs indéfinis ***qualche*** (toujours suivi d'un nom au singulier) et ***alcuni***, ***alcune*** :

Ho ancora ***dei*** *dubbi.*
Ho ancora ***qualche*** *dubbio.* (J'ai encore des doutes.)
Ho ancora ***alcuni*** *dubbi.*

On peut également mettre le nom au pluriel sans aucun déterminant :
Ho ancora dubbi.

4. Les articles contractés

Lorsque l'article défini est précédé par les prépositions ***a***, ***da***, ***di***, ***in*** et ***su***, il s'unit avec elles pour donner les articles contractés (*le preposizioni articolate*).

Article / Préposition	masculin					féminin		
	singulier			pluriel		singulier		pluriel
	IL	*LO*	*L'*	*I*	*GLI*	*LA*	*L'*	*LE*
A	***al***	***allo***	***all'***	***ai***	***agli***	***alla***	***all'***	***alle***
DI	***del***	***dello***	***dell'***	***dei***	***degli***	***della***	***dell'***	***delle***
DA	***dal***	***dallo***	***dall'***	***dai***	***dagli***	***dalla***	***dall'***	***dalle***
IN	***nel***	***nello***	***nell'***	***nei***	***negli***	***nella***	***nell'***	***nelle***
SU	***sul***	***sullo***	***sull'***	***sui***	***sugli***	***sulla***	***sull'***	***sulle***

all'*ultimo momento* (au dernier moment) ; ***sul*** *tavolo* (sur la table) ; ***allo*** *stadio* (au stade) ; *il libro* ***dei*** *ragazzi* (le livre des enfants)

Remarque

Aujourd'hui, on a tendance à ne plus contracter les prépositions *con* et *per* avec les articles définis (*col, collo, cogli*, etc., *pel, pello*, etc.), on préfère utiliser les formes non contractées :

con *il professore* (avec le professeur)
per *il professore* (pour le professeur)

5. L'article partitif

- Les formes contractées de la préposition ***di*** + article défini (***del, dello, della...***) sont utilisées comme article partitif :

Vuoi ***del*** *pane ?* (Tu veux du pain ?)
Compra ***della*** *verdura !* (Achète des légumes !)

● Au pluriel, comme nous l'avons vu précédemment (▷ voir page 15), l'article partitif remplace le pluriel inexistant de l'article indéfini :

Sento ***dei*** *rumori.* (J'entends des bruits.)
Le ho mandato ***dei*** *fiori.* (Je lui ai envoyé des fleurs.)

Cet article n'est pas obligatoire et il est souvent supprimé quand il est sujet du verbe :

La gente vuole prodotti non inquinanti.
(Les gens veulent des produits non-polluants.)
Libri e articoli saranno pubblicati su questo fenomeno di società.
(Des livres et des articles seront publiés sur ce phénomène de société.)

● Lorsque l'article partitif est précédé d'une préposition, surtout ***a/ad, da, in***, on recourt à une autre construction. Pour traduire : « J'ai écrit à des amis », on dit :

Ho scritto ***ad alcuni*** *amici* ou *Ho scritto* ***ad*** *amici.*

De même on traduira « dans des tableaux » par *in alcuni quadri.*

● On supprime l'article partitif dans les phrases négatives :

Non voglio pane. (Je ne veux pas de pain.)
Non bevo latte. (Je ne bois pas de lait.)
Non c'erano libri sul tavolo. (Il n'y avait pas de livres sur la table.)

EXERCICES

❶ Mettre l'article défini qui convient devant les noms suivants :

1. ... straniero
2. ... verità
3. ... avarizia
4. ... braccio
5. ... amico
6. ... yoga
7. ... sogno
8. ... letto
9. ... spiaggia
10. ... paese
11. ... anima
12. ... psichiatra
13. ... sentimento
14. ... strada
15. ... insetto
16. ... zanzara
17. ... imbuto
18. ... scaldabagno
19. ... tavolo
20. ... zia
21. ... madre
22. ... stipendio
23. ... pseudonimo
24. ... riunione

❷ Mettre l'article indéfini qui convient devant les noms suivants :

1. ... invito
2. ... visita
3. ... spazio
4. ... anatra
5. ... esercizio
6. ... animo
7. ... foglia
8. ... inverno
9. ... camera
10. ... astrologo
11. ... sceicco
12. ... estate
13. ... medico
14. ... primavera
15. ... zero
16. ... pneumatico
17. ... lezione
18. ... pietra
19. ... psicologo
20. ... canzone
21. ... gnomo
22. ... uovo
23. ... matita
24. ... ingegnere

❸ Écrire les expressions suivantes en plaçant l'adjectif après le nom :

una strana impressione
→ *un'impressione strana*

1. una pratica invenzione
2. un'intelligente artista
3. un buono stipendio
4. uno strepitoso successo
5. un'incredibile storia
6. un onesto lavoratore
7. uno stupido errore
8. uno straordinario architetto
9. un ricco avvocato
10. un'antica chiesa
11. uno stretto vicolo
12. uno strano tipo
13. un profondo silenzio
14. uno spaventoso incidente

❹ Mettre l'article défini si nécessaire en plaçant le nom entre parenthèses à la place des points :

... scrisse l'*Eneide*. (Virgilio)
→ *Virgilio scrisse l'*Eneide.

1. ... di Verdi ha ottenuto un gran successo. (*Otello*)
2. I turisti ammirano ... di Michelangelo. (*Mosè*)
3. ... fu un grande pittore. (*Caravaggio*)
4. ... non è arrivato. (*Giovanni*)
5. ... fu un illustre compositore. (*Puccini*)
6. Si può vedere ... di Michelangelo a Firenze. (*David*)
7. Ho visto ... di Giacomo Puccini. (*Turandot*)

❺ Compléter les phrases suivantes en utilisant l'article défini ou indéfini :

1. Stamattina, 16 marzo, ... alberi erano coperti di neve.
2. Se ... nebbia si alzerà, sarà più facile viaggiare.
3. Alberto Moravia è ... pseudonimo.
4. ... gnomi sono personaggi di favole.
5. Sono stato stupido a lasciarmi scappare ... occasione simile.
6. È ... famoso tennista.
7. ... pittura è ... modo di esprimersi.
8. ... antichi Greci avevano ... profondo senso della bellezza.
9. Ti piacciono ... gnocchi ?
10. ... Garda è ... più grande lago italiano.
11. ... amica come te non è facile da trovare.
12. Ha ... amici in Francia.

13. Per me ... settimana vale ... altra.
14. ... scacchi è un gioco difficile.
15. ... nuoto è ... sport che richiede molto allenamento.

❻ **Traduire :**

1. Elle va à l'école.
2. Je n'ai pas encore visité la Crète.
3. Vous connaissez Madagascar ?
4. Le mont Rose est le sommet le plus haut d'Italie.
5. Elle est allée à l'école primaire à cinq ans.
6. Il travaille la nuit.
7. La tour de Pise est très connue.
8. Il tient son journal à la main.

❼ **Compléter les phrases avec l'article contracté qui convient, en suivant l'indication entre parenthèses :**

1. Non avevamo dubbi (su) successo (di) campagna pubblicitaria.
2. (In) ultimo numero (di) settimanale, c'è un articolo interessante.
3. La gente usciva (da) strade, (da) vicoli.
4. Vuole essere (a) centro (di) attenzione.
5. Ha parlato (di) problema (di) locali.
6. Ti aspetto (a) ingresso (di) cinema.
7. L'ho letto (su) giornale.
8. Possiamo fare uno studio (su) risultati (di) ultime elezioni.
9. L'ho visto (da) finestra.
10. C'era molta gente davanti (a) sportelli.

Voir corrigés page 171.

3 Le nom

1. Le genre des noms

a) Sont masculins

- les noms terminés en ***-o*** :
  il *libro,* ***il*** *muro,* ***il*** *tavolo,* ***l'****euro*

EXCEPTIONS ***la*** *mano,* ***la*** *sdraio* et les abréviations : ***l'****auto,* ***la*** *radio,* ***la*** *foto,* ***la*** *moto* ; au singulier ***eco*** est féminin *(****un'****eco,* ***una*** *forte eco)*, même s'il tend à être utilisé au masculin ; au pluriel il est toujours masculin *(****gli*** *echi)*.

- les noms terminés en ***-ore*** correspondant au français en « -eur » :
  il pallore (la pâleur), *il fiore* (la fleur), *il liquore* (la liqueur)

  EXCEPTION ***la*** *folgore* (la foudre).

- les noms finissant par une consonne, le plus souvent d'origine étrangère :
  il film, lo sport, il bar, il computer...

Certains sont féminins :
la holding, la gang, la gag

- quelques noms terminés en ***-a***, ***-ma*** (venant du grec) et les noms en ***-ista***, désignant des professions :
  il teorema, il diploma, il dramma ; il giornalista, il dentista

Quelques noms en ***-ù*** d'origine étrangère sont masculins :
il tabù, il caucciù

b) Sont féminins

- les noms terminés en ***-a*** (sauf les exceptions indiquées au paragraphe précédent) :
  la terra, la sedia, la vita

- les noms terminés en ***-i*** :
  la crisi, la tesi, l'analisi, l'oasi

mais ***brindisi*** est masculin : *fare* ***un*** *brindisi* (porter un toast)

- les noms tronqués en ***-tà*** et ***-tù*** :
  la civiltà, la verità, la virtù

c) Les noms terminés en *-e* sont masculins ou féminins :

il *ponte,* ***il*** *fiume,* ***la*** *fame,* ***la*** *fine*

2. Le féminin des noms

- Les noms masculins terminés en ***-o***, qui désignent des êtres animés, ont un féminin en ***-a*** :
  *l'amic**o**, l'amic**a** ; lo zi**o**, la zi**a** ; il gatt**o**, la gatt**a***

- Les noms masculins en ***-a***, qui désignent des êtres animés :
  – un certain nombre ont un féminin en ***-essa*** :
  *poeta, poet**essa** ; duca, duch**essa***

– les noms qui se terminent en ***-cida*** et ***-ista*** et quelques noms en ***-a*** (presque tous d'origine grecque) ont la même forme au masculin et au féminin :

il giornalista, la giornalista ; un artista, un'artista ; un omicida, un'omicida ; un collega, una collega

- Les noms masculins terminés en ***-e***, qui désignent des personnes

– ont un féminin identique au masculin :

il rivale, la rivale ; un insegnante, un'insegnante

– ont un féminin en ***-a*** :

*signore, signor**a** ; infermiere, infermier**a***

– font leur féminin en ***-essa*** quand ils indiquent une profession, une charge etc. :

*professore, professor**essa** ; presidente, president**essa***

– c'est aussi le cas de certains noms d'animaux :

*leone, leon**essa** ; elefante, elefant**essa***

- Les noms terminés en ***-tore*** font leur féminin en ***-trice*** :

*attore, att**rice** ; autore, aut**rice** ; lettore, lett**rice***

EXCEPTIONS *dottore, dottor**essa**.*

- Cas particuliers :

il dio, la dea ; l'eroe, l'eroina ; il re, la regina ; il cane, la cagna

- Quelquefois le masculin et le féminin sont exprimés par des mots différents :

padre, madre ; fratello, sorella ; uomo, donna ; marito, moglie ; genero, nuora

- Certains noms ont un sens différent selon leur genre :

il fine (le but) — *la fine* (la fin)
il fronte (le front de guerre) — *la fronte* (le front du visage)
il radio (le radium) — *la radio* (la radio)

3. Le pluriel des noms

a) Formation

	singulier	pluriel	exemples
noms féminins	***-a*** ***-e***	***-e*** ***-i***	*la casa/le case* *la rete/le reti*
noms masculins	***-e*** ***-o*** ***-a***	***-i*** ***-i*** ***-i***	*il mese/i mesi* *il bambino/i bambini* *il problema/i problemi*

EXCEPTIONS *l'ala* (l'aile), *le ali*
il dio, gli dei
l'uomo, gli uomini
mille, duemila
l'arma, le armi
il bue (le bœuf), *i buoi*

b) Pluriels particuliers des noms féminins

- Les noms féminins finissant en ***-ca*** et ***-ga*** ont leur pluriel en ***-che*** et ***-ghe***. Ils conservent ainsi le son vélaire :

  la barca, le barche ; la banca, le banche ; la bottega, le botteghe ; la Belga, le Belghe

- Les noms féminins finissant en ***-cia*** ou en ***-gia***

– si le ***i*** est accentué, il est conservé au pluriel :

la farmacia, le farmacie ; l'allergia, le allergie

– si le ***i*** est atone, on utilise, en général, la convention suivante :

1. le groupe ***-cia*** ou ***-gia*** est précédé d'une voyelle, dans ce cas, ***i*** est maintenu au pluriel :

la camicia, le camicie ; la valigia, le valigie

2. le groupe ***-cia*** ou ***-gia*** est précédé d'une consonne, ***i*** est alors supprimé :

la spiaggia, le spiagge ; la provincia, le province

N.B. Par analogie, les mots féminins en ***-scia*** suivent la même règle :

– ***i*** accentué reste :

la scia (le sillage), *le scie*

– ***i*** atone étant précédé de deux consonnes est supprimé :

l'angoscia (l'angoisse), *le angosce ; la coscia* (la cuisse), *le cosce ; la striscia* (la bande), *le strisce*

c) Pluriels particuliers des noms masculins

- Les noms masculins finissant en ***-ca*** ou en ***-ga*** ont un pluriel en ***-chi*** ou en ***-ghi*** (ils conservent le son vélaire) :

  *il monarca, i monar**chi** ; il collega, i colle**ghi***

EXCEPTION *il Belga, i Belgi.*

- Les noms masculins terminés par ***-co*** ou ***-go***

– s'ils sont ***piani*** (accentués sur l'avant-dernière syllabe) le pluriel est en ***-chi*** ou ***-ghi*** :

fungo, funghi ; albergo, alberghi

EXCEPTIONS (les plus courantes) : *amico, amici ; nemico, nemici ; greco, greci ; porco, porci.*

– s'ils sont *sdruccioli* (accentués sur l'antépénultième) leur pluriel est en ***-ci*** ou ***-gi*** :

medico, medici ; sindaco, sindaci

EXCEPTIONS là aussi, les exceptions sont très nombreuses :

catalogo, cataloghi ; dialogo, dialoghi ; incarico, incarichi ; profugo, profughi

- Les noms terminés par ***-io***

– quand le ***i*** est accentué, le pluriel est en ***-ii*** ; les deux ***i*** doivent être prononcés en les séparant bien :

*zio, z**ii** ; rinvio, rinv**ii***

– quand le ***i*** est atone, le pluriel est simplement en ***-i*** :

occhio, occhi ; bacio, baci

EXCEPTION ***tempio, templi.***

Remarque

Quelques noms en ***-io*** peuvent être confondus au pluriel, avec d'autres pluriels homographes ; pour éviter l'ambiguïté, on peut mettre l'accent circonflexe sur le ***i*** ***(î)*** ou bien écrire ***ii*** ou encore mettre l'accent sur la syllabe tonique.

principio (principe) *principî, principii, princípi*
principe (prince) *principi*
osservatorio (observatoire) *osservatorii, osservatori*
osservatore (observateur) *osservatori*

La tendance moderne est d'utiliser la même graphie pour les deux mots homographes, le contexte permettant d'éliminer l'équivoque.

d) Les noms invariables

Sont invariables :

- quelques noms masculins en ***-a*** :

il vaglia, i vaglia ; il sosia, i sosia ; il gorilla, i gorilla

- les formes abrégées en ***-a*** ou en ***-o*** (abréviations de mots techniques) :

il cinema, i cinema ; l'auto, le auto ; la moto, le moto ; la foto, le foto ; l'euro, gli euro

mais on dira :

il chilo, i chili

- les noms féminins finissant par ***-ie*** :

la specie, le specie ; la serie, le serie

mais *la moglie* et *la superficie* forment leur pluriel en ***i*** :

le mogli, le superfici

- les noms masculins ou féminins, finissant par ***-i*** :

il brindisi, i brindisi ; l'analisi, le analisi ; la tesi, le tesi

- les noms des lettres de l'alphabet :
  la effe, le effe ; la zeta, le zeta

- les monosyllabes :
  il re, i re ; la gru, le gru

- les noms accentués sur la dernière syllabe (les noms tronqués) :
  la novità, le novità ; la verità, le verità ; il caffè, i caffè

- les noms terminés par une consonne :
  il film, i film ; il bar, i bar ; il gas, i gas ; lo sport, gli sport ; il computer, i computer

Remarque

Certains noms étrangers ne faisant pas encore partie de l'italien courant conservent le pluriel qu'ils ont dans la langue d'origine.
il maquillage, i maquillages ; il raid, i raids ; il lied, i lieder.

e) Les noms de genre différent au pluriel

Quelques noms en ***-o***, qui sont masculins au singulier, deviennent féminins au pluriel et se terminent en ***-a*** (neutre latin).

*il centinaio, le centinai**a*** (les centaines) *; il migliaio, le migliai**a*** (les milliers)*; il miglio, le migli**a*** (les milles marins) *; il paio, le pai**a*** (les paires) *; l'uovo, le uov**a*** (les œufs) *; il riso, le ris**a*** (les rires)

Rappelons le cas inverse : *l'eco* (▷ voir Le féminin singulier, page 19), *gli echi* (masculin pluriel).

f) Les noms avec double pluriel de genre différent

Plusieurs noms masculins en ***-o*** ont deux pluriels : un pluriel régulier en ***-i*** et un autre en ***-a***, féminin ; en général, le pluriel masculin est valable pour le sens figuré tandis que le pluriel féminin est réservé au sens propre. Cependant, dans l'italien courant cette différence n'est pas toujours évidente et certains ont le même sens comme *ginocchio* et *sopracciglio* :

il braccio	*i bracci*	les bras d'un fleuve, d'un fauteuil
	le braccia	les bras
il ciglio	*i cigli*	les bords d'une route, d'un fossé
	le ciglia	les cils
il corno	*i corni*	les cors d'un orchestre
	le corna	les cornes d'un animal
il dito	*i diti*	les doigts considérés séparément
	le dita	les doigts dans leur ensemble
il filo	*i fili*	les fils électriques, du téléphone
	le fila	la trame, les ficelles d'une action
il fondamento	*i fondamenti*	les fondements (d'une science...)
	le fondamenta	les fondations d'un édifice

il ginocchio	*i ginocchi*	les genoux (aucune différence de sens)
	le ginocchia	
il grido/l'urlo	*i gridi/gli urli*	les cris, les hurlements d'animaux
	le grida/le urla	les cris, les hurlements humains
il labbro	*i labbri*	les bords d'un vase, les lèvres d'une blessure
	le labbra	les lèvres
il lenzuolo	*i lenzuoli*	les draps (pris un par un)
	le lenzuola	les draps (par paire)
il membro	*i membri*	les membres (d'un jury...)
	le membra	les membres (du corps)
il muro	*i muri*	les murs (d'une maison)
	le mura	les remparts
l'osso	*gli ossi*	les os (de boucherie)
	le ossa	les os (du corps humain), les ossements

g) **Les noms à double singulier et à double pluriel**

Quelques noms ont deux formes au singulier et au pluriel :

l'orecchio (l'oreille)	*gli orecchi*
l'orecchia (l'oreille)	*le orecchie*
la strofa (la strophe)	*le strofe*
la strofe (la strophe)	*le strofi*
il frutto (le fruit)	*i frutti*
la frutta (les fruits)	*le frutta*

Les différentes formes de *orecchio* et de *strofa* ont le même sens ; il n'en est pas de même pour *frutto*. La forme *frutta* au singulier comme au pluriel est toujours utilisée au sens propre : « les fruits », alors que *il frutto, i frutti* sont utilisés également au sens figuré *(il frutto, i frutti del lavoro)*. Enfin, le masculin est valable pour les produits de l'arbre *(un albero carico di frutti)*, tandis que la forme au féminin singulier, qui est un singulier collectif, a remplacé le pluriel *le frutta* pour indiquer les fruits récoltés, les fruits en général *(mangiare, comprare la frutta)*.

4. Le pluriel des noms composés

Le pluriel des noms composés varie selon la catégorie des mots qui entrent dans leur composition.

- nom masculin + nom masculin
- adjectif + nom masculin singulier
- verbe + nom masculin singulier
- préposition + nom masculin singulier
- adjectif + adjectif

} le deuxième élément est variable

l'arcobaleno (l'arc-en-ciel)	*gli arcobaleni*
il cavolfiore (le chou-fleur)	*i cavolfiori*

il passaporto (le passeport) *i passaporti*
il sordomuto (le sourd-muet) *i sordomuti*
il soprannome (le surnom) *i soprannomi*

→ **N.B.** Les noms composés avec ***capo-*** ne suivent pas toujours la même règle.
– le deuxième élément est variable :
il capoluogo, i capoluoghi

– le premier élément est variable, surtout lorsque ***capo-*** a le sens de « personne qui dirige » :
il capofamiglia, i capifamiglia ; il capolista, i capilista

– quand le nom composé est féminin, il est invariable :
la capolista, le capolista

- nom + adjectif
- adjectif + nom féminin

} les deux éléments sont variables :
la cassaforte, le casseforti ; la terracotta, le terrecotte ; la malalingua, le malelingue

- verbe + nom féminin singulier
- préposition + nom féminin singulier
- verbe + nom masculin ou féminin pluriel
- verbe + verbe

} invariables

l'aspirapolvere (l'aspirateur) *gli aspirapolvere*
il portaombrelli (le porte-parapluie) *i portaombrelli*
il dormiveglia (le demi-sommeil) *i dormiveglia*
il retroterra (l'arrière-pays) *i retroterra*

EXCEPTIONS *l'asciugamano* (la serviette), *gli asciugamani.*

Si les deux noms sont de genre différent, seul le premier nom est variable :
il pescespada (l'espadon) *i pescispada*

mais :
la ferrovia, le ferrovie ; la banconota (le billet), *le banconote*

4 L'adjectif

1. Le genre de l'adjectif

Il existe :

- les adjectifs finissant par ***-o*** au masculin singulier, qui ont un féminin singulier en ***-a*** :
simpatico, simpatica ; contento, contenta

- les adjectifs en ***-e*** et en ***-ista***, qui ont la même forme au masculin et au féminin singulier :

  facile, fragile, esile (élancé), *ottimista, egoista*

2. La formation du pluriel

Mêmes règles que pour les noms :

	singulier	pluriel
masculin	***-o*** ***-a***	***-i*** ***-i***
féminin	***-a***	***-e***
masc. et fém.	***-e***	***-i***

- les adjectifs finissant par ***-io***, ***-ia*** et ***-co*** présentent les mêmes particularités que les noms et suivent les mêmes règles de formation du pluriel avec les mêmes exceptions (▷ voir page 21) :

  *natio, nat**ii** (natif) ; var**io**, var**i** ; sudi**cia**, sudi**cie** ; sagg**ia**, sagg**e** ; ricco, ric**chi** ; ricca, ric**che** ; austriaco, austri**aci** ; greco, gre**ci***

- les adjectifs se terminant par ***-go*** (féminin ***-ga***) ont leur pluriel en ***-ghi*** (féminin ***-ghe***) :

  *analogo, analo**ghi** ; analoga, analo**ghe***

3. L'accord de l'adjectif

- L'adjectif s'accorde toujours.

– En général, quand il se rapporte à plusieurs noms de genres différents, l'adjectif se met, comme en français, au masculin pluriel :

  I miei amici e le mie amiche sono tutti italiani.
  (Mes amis et mes amies sont tous italiens.)

Mais l'accord peut se faire également avec le nom le plus rapproché :

  *un vestito e delle gonne sporch**e**.* (une robe et des jupes sales.)
  *Abbiamo veduto fior**i** e piant**e** bellisim**e**.*
  (Nous avons vu des fleurs et des plantes très belles.)

– Dans les adjectifs composés (provenant de l'union de deux adjectifs) seul le second élément s'accorde :

  *una parola italo-american**a**, delle parole italo-american**e** ; diritti sacrosant**i**.*

- Adjectifs invariables :

– l'adjectif ***pari*** (pair) et ses dérivés : ***dispari*** (impair), ***impari*** (inférieur, inégal) :
la cifra pari, le cifre pari (les chiffres pairs)

– les locutions adverbiales utilisées comme adjectifs : ***dappoco, perbene*** :
delle persone perbene (des personnes comme il faut)

– les adjectifs de couleur issus de substantifs ***rosa, marrone, viola*** et ceux qui sont formés d'un adjectif et d'un nom :
dei cappotti verde bottiglia (des manteaux vert bouteille)
dei tramonti rosso fuoco (des couchers de soleil rouge feu)

– les adjectifs finissant par une consonne ou par une voyelle accentuée ainsi que les adjectifs d'origine étrangère :
blu, zulù, beige

– les adjectifs composés de ***anti*** + nom :
dei sistemi antifurto (des systèmes antivol)

4. Les adjectifs employés comme adverbes

L'italien peut remplacer par un adjectif accordé certains adverbes de manière :
*Elsa camminava svel**ta**.* (Elsa marchait rapidement.)
*Silvia ha risposto distrat**ta**.* (Sylvie a répondu d'un air distrait.)

En outre, les adjectifs substantivés précédés d'une préposition peuvent former des locutions adverbiales :
con le buone o con le cattive (bon gré mal gré)
alla svelta (rapidement)

5. L'élision et l'apocope devant le substantif

- ***bello*** et ***quello*** (adjectif démonstratif) se comportent comme l'article contracté ***del, dello***...

un bel ragazzo (un beau garçon)	*dei bei ragazzi*
quel ragazzo (ce garçon-là)	*quei ragazzi*
*un bell**o** **s**pecchio* (un beau miroir)	*dei be**gli** **s**pecchi*
*un be**ll'a**lbergo* (un bel hôtel)	*dei be**gli** **a**lberghi*

→ **N.B.** Si l'adjectif ***bello*** suit le nom ou s'il ne le précède pas directement et si ***quello*** est employé comme pronom, il n'y a aucune modification :
*un ragazzo bel**lo***
Belli i libri che mi hai mandato !
(Ils sont beaux les livres que tu m'as envoyés !)
*Voglio quel**lo**.* (Je veux celui-là.)

● L'adjectif ***buono*** (« bon ») ainsi que les adjectifs indéfinis ***nessuno*** (« aucun ») et ***alcuno*** (« quelque ») suivent la règle de l'article indéfini ***un***, ***uno*** :

un uomo, nessun uomo, alcun uomo
*un**o** **st**ipendio, un buon**o** **st**ipendio, nessun**o** **st**ipendio*

● L'adjectif ***grande***. On emploie :

– ***grande*** devant un nom masculin ou féminin singulier commençant par ***s*** + consonne, ***x*** ou ***z***, les groupes ***gn***, ***pn***, ***ps*** :

*un grand**e** **sc**andalo*
*una grand**e** **st**oria*

– ***gran*** devant tous les noms commençant par une autre consonne :

*un gra**n** **l**ibro*
*una gra**n** **c**asa*

– Devant une voyelle, on peut trouver la forme ***grande*** ou la forme ***grand'***, l'élision étant facultative. On préfère toutefois ***grande*** pour éviter des sons discordants :

*un gran**d'**amore = un grand**e** **a**more*
*una grand**e** **i**dea*

● L'adjectif ***santo***. On emploie :

– ***santo*** devant les noms masculins commençant par ***s*** + consonne :

*Sant**o** **St**efano, Sant**o** **Sp**irito*

– ***san*** devant un nom masculin commençant par une consonne à l'exception des cas ci-dessus :

San Francesco, San Cristoforo, San Zeno, San Zaccaria

– ***santa*** devant les noms féminins commençant par une consonne, il n'y a pas d'apocope :

*Sant**a** **L**ucia, Sant**a** **B**arbara*

– ***santo***, ***santa*** s'élident devant les noms commençant par une voyelle :

*San**t'A**gostino, San**t'A**nna*

– ***santo*** devant un nom autre qu'un nom de saint :

il santo patrono, il Santo Padre

EXERCICES

❶ Mettre au féminin les phrases suivantes :

1. Il pianista è bravo.
2. L'operaio è abile.
3. Lo scrittore è simpatico.
4. Il duca arrivò, era elegante.
5. Lo studente sarà promosso.
6. Il fioraio è un uomo alto e biondo.

7. Il dottore è anziano, distinto e gentile.
8. L'infermiere è inglese.
9. Il mio amico è spagnolo.
10. Il farmacista è italiano.

❷ Mettre au pluriel :

1. È un uovo fresco.
2. È finita la stagione della pioggia.
3. Ha caricato la valigia sulla macchina.
4. È piaciuto il monologo dell'attore.
5. Il biologo e il chirurgo sono andati al congresso sulle malattie infantili.
6. L'analisi del problema ha avuto una forte eco sul giornale locale.
7. L'etnologo ha pubblicato tanti libri.
8. Un sisma ha colpito la provincia nordica.
9. Senza l'aiuto dello speleologo, il mio amico non riusciva a salvarsi.

❸ Mettre au pluriel les phrases suivantes :

1. Questo cosmetico mi ha provocato un'allergia.
2. Il medico è passato alle 9.30.
3. Il meccanico non ha capito nulla.
4. L'amico di Cristina è greco.
5. Il suo collega è uscito.
6. La neve è caduta sul pendìo.
7. Lo studio dell'avvocato è chiuso.

❹ Indiquer le pluriel des mots donnés entre parenthèses :

1. Là, il fiume si divide in tre (braccio).
2. Alzarono (il braccio) per salutare.
3. Batteva (il ciglio) e faceva la civetta.
4. Hanno tagliato (il filo) del telefono.
5. Non conosce (il fondamento) di questa scienza.
6. Non darmi tanto vino ! Me ne bastano due (dito).
7. Mi sono sporcato (il dito) pulendo il motore della macchina.
8. Il popolo elegge (il membro) della Camera dei deputati.
9. Sei magro ; ti si vedono (l'osso).
10. (Il muro) circondano la città di Lucca.

❺ Mettre au singulier les mots suivants :

1. le formiche
2. le mance
3. le magie
4. i re
5. le musiche
6. le moto
7. i bianchi
8. le gocce
9. le carie
10. gli amici
11. le mogli
12. le centinaia
13. le streghe
14. le camicie
15. le verità
16. le crisi
17. le arance
18. le guardie
19. gli aghi
20. le ciliegie
21. i duchi
22. i ricchi
23. le farmacie
24. le fasce

❻ Mettre au pluriel les noms composés suivants :

1. la banconota
2. il camposanto
3. il caporeparto
4. la ferrovia
5. l'andirivieni
6. il malessere
7. il tritacarne
8. il capoufficio
9. la cassaforte
10. l'altorilievo
11. il capoofficina
12. il manoscritto
13. il grattacielo
14. la messinscena
15. il dopobarba
16. il sottopassaggio
17. il rompicapo
18. il sottotenente
19. il caposezione
20. il paracadute
21. l'asciugamano

❼ Mettre au pluriel les groupes nominaux suivants :

1. la canzone popolare
2. la casa antica
3. il bacio materno
4. il giorno piovoso
5. il vestito vecchio
6. il cuoco simpatico
7. il cantante cieco
8. la zia antipatica
9. la gonna rosa
10. il numero pari
11. il camion carico
12. l'uomo dappoco
13. il centro storico
14. il ragazzo greco

❽ Accorder l'adjectif entre parenthèses :

1. Ha comprato una penna e una cartella (nuovo).
2. Ha mangiato caramelle e dolci (squisito).
3. Portava una valigia e una borsa (pesante).
4. Il babbo e la mamma sono (pronto).
5. Ha dato l'esame di lingua e letteratura (tedesco).
6. Aveva la giacca e i pantaloni (scucito).
7. Abbiamo comprato piante e fiori (bellissimo).
8. Ha provato una simpatia e un'attrazione (immenso) per lei.
9. Ha venduto una libreria e un divano (vecchio).
10. Sofia Loren e Claudia Cardinale sono attrici (famoso).
11. Maria camminava (tranquillo).
12. Le ragazze guardavano (attento).

❾ Modifier, si c'est nécessaire, l'adjectif entre parenthèses :

1. un (bello) armadio.
2. (Santo) Stefano.
3. un (bello) castello.
4. un (bello) incontro.
5. ha dei (bello) occhi.
6. ha degli occhi veramente (bello).
7. la festa di (santo) Antonio.
8. un (grande) calore.
9. una (grande) idea.
10. i (bello) capelli di Elsa.
11. la festa di (santa) Caterina.
12. un (bello) stipendio.

Voir corrigés page 171.

5 Les comparatifs

1. Les comparatifs de supériorité et d'infériorité

Più... di... et ***più... che*** correspondent au français « plus... que... »
Meno... di et ***meno... che*** correspondent au français « moins... que... »

On emploie

- ***più... di...*** / ***meno... di...*** } devant un nom ou un pronom non précédés d'une préposition, ou un adverbe.

  *È **più** alto **di me**.*
  (Il est plus grand que moi.)
  *È **meno** prudente **di ieri**.*
  (Il est moins prudent qu'hier.)

Si le deuxième élément de la comparaison est précédé d'un article défini, la préposition ***di*** s'unit avec celui-ci :
  *La tua casa è più piccola **della** mia.*
  (Ta maison est plus petite que la mienne.)

- ***più... che...*** / ***meno... che...*** } devant un nom ou un pronom précédés d'une préposition ;
  quand on compare entre eux deux verbes, deux adjectifs ou deux adverbes ;
  quand on compare deux quantités.

  *Fa **meno** caldo al mare **che in** città.*
  (Il fait moins chaud au bord de la mer qu'en ville.)
  *Pensa **più** al lavoro **che alla** famiglia.*
  (Il pense plus à son travail qu'à sa famille.)
  *È **più** bello **che** intelligente.*
  (Il est plus beau qu'intelligent.)
  *Ho **più** cassette **che** dischi.*
  (J'ai plus de cassettes que de disques.)
  *È **più** interessante lavorare **che** restare a casa.*
  (Il est plus intéressant de travailler que de rester à la maison.)

- Comparatifs irréguliers :
  alto → ***superiore***
  buono → ***migliore***
  grande → ***maggiore***
  bene → ***meglio***
  basso → ***inferiore***
  cattivo → ***peggiore***
  piccolo → ***minore***
  male → ***peggio***

Notez que ***inferiore*** et ***superiore*** se construisent avec la préposition ***a***.

2. Le comparatif d'égalité

- ***così... come...***
  tanto... quanto... (variable devant un nom).

Le premier terme de la corrélation est généralement supprimé sauf s'il s'agit de deux adjectifs ou de deux verbes :

Sono alto quanto te. (Je suis aussi grand que toi.)
È una ragazza tanto bella quanto intelligente.
(C'est une jeune fille aussi belle qu'intelligente.)

Quand ***tanto... quanto*** se rapportent à des noms, l'accord se fait avec ces noms et dans ce cas on peut remplacer *tanto* par *altrettanto* (▷ voir page 83) :

C'erano tanti uomini quante donne. (Il y avait autant d'hommes que de femmes.)

3. « D'autant plus... que », « d'autant moins... que »

Cette structure se rend par :

tanto più ... quanto più (*quanto meno*) ***tanto meno ... quanto meno*** (*quanto più*)

Ha ***tanto meno*** *fortuna* ***quanto più*** *numerosi sono i concorrenti.*
(Il a d'autant moins de chance que les concurrents sont plus nombreux.)
Era ***tanto più*** *arrabbiata* ***quanto più*** *era stata delusa.*
(Elle était d'autant plus fâchée qu'elle avait été déçue.)

→ **N.B.** *Tanto più... quanto più* ne doit pas être confondu avec *tanto più che* qui a une valeur causale :

Andrò alla riunione ***tanto più che*** *ho una domanda da fare.*
(J'irai à la réunion d'autant plus que j'ai une question à poser.)

4. La corrélation « plus ... plus », « moins ... moins »

Cette corrélation se traduit par :

quanto più ... tanto più ***quanto meno ... tanto meno***

Quanto più *si guadagna,* ***tanto più*** *si spende.*
(Plus on gagne d'argent, plus on en dépense.)

Cette construction un peu lourde a tendance à être remplacée par la corrélation presque identique au français :

più** (meno) **... e più ... ***meno ... e meno** (e più) **...***

***Meno** lavorava e **più** spendeva.* (Moins il travaillait, plus il dépensait.)

EXERCICES

❶ Compléter les phrases suivantes en formant un comparatif de supériorité ou d'infériorité :

1. L'acqua è ... utile ... vino.
2. Il campanile è ... alto ... chiesa.
3. La tua macchina è ... potente ... mia.
4. Il cane è ... fedele ... gatto.
5. La Sardegna è ... grande ... Corsica.
6. Oggi sei ... nervoso ... ieri.
7. L'ha fatto ... per dovere ... per piacere.
8. Sapevo che era ... forte ... me, ma ho lottato lo stesso.
9. Corri ... veloce ... noi.
10. Il potere dà ... noie ... gioie.

❷ Traduire :

1. Il agit plus instinctivement que rationnellement.
2. Ces discussions sont aussi pénibles qu'inutiles.
3. Selon lui, le théâtre est plus instructif que le cinéma.
4. Tes conseils sont aussi utiles qu'honnêtes.
5. Son père est plus sévère que sa mère.
6. Il pense plus à sa voiture qu'à sa famille.
7. Ta voiture est aussi rapide que la mienne.
8. La pièce était plus longue que large.
9. Vivre à la campagne est plus reposant que vivre en ville.
10. Ici, la chambre est plus petite que la cuisine.
11. Ces produits sont meilleurs que les autres.
12. Il joue mieux au tennis que son ami.
13. Le Concorde vole plus vite que les autres avions.
14. Le mois de février n'est pas aussi long que le mois de janvier.
15. Il a autant de courage que de bonne volonté.

❸ Traduire :

1. Plus il fait froid, moins il sort.
2. Plus ils sont vieux, plus ils sont égoïstes.
3. Il est d'autant plus vaniteux qu'il est beau.
4. Plus il regarde la télévision, plus il veut la regarder.

5. Il mérite d'autant plus d'être récompensé qu'il a eu bien des difficultés.
6. Elle apparaît d'autant plus sympathique qu'elle est souriante.
7. Moins tu mangeras, moins tu grossiras.
8. Il a d'autant plus envie de manger que sa mère cuisine bien.

Voir corrigés page 172.

6 Les superlatifs

1. Le superlatif relatif

Il se forme avec le comparatif de supériorité ou d'infériorité (***più***, ***meno***, ***migliore***...) précédé de l'article défini ou d'un autre déterminant :

il più caldo (le plus chaud) ; ***il mio migliore*** *amico* (mon meilleur ami)

- Après un substantif déjà déterminé par l'article, on ne répète pas celui-ci :

È ***la*** *città* ***più ricca*** *d'Italia.* (C'est la ville la plus riche d'Italie.)

mais on dira comme en français :

Questo film ? È ***il più bello*** *della stagione.*
(Ce film ? C'est le plus beau de la saison.)
Una bambina, ***la più piccola*** *della classe, ci salutò.*
(Une petite fille, la plus petite de la classe, nous salua.)

- Après le superlatif, le verbe est au subjonctif :

È il più bel viaggio che ***abbia*** *mai fatto.*
(C'est le plus beau voyage que j'aie jamais fait.)

2. Le superlatif absolu

Il se forme avec

- ***molto*** / ***assai*** } + adjectif ou adverbe :

È ***molto*** *caldo.* (Il fait très chaud.)
È ***molto*** *tardi.* (Il est très tard.)
È ***assai*** *caro.* (C'est très cher.)

(ou ***tanto***, ce dernier étant moins employé) ;

- le suffixe ***-issimo*** (*-i*, *-a*, *-e*). Ce superlatif insiste davantage :
  *È cald**issimo***

Remarque

– Les adjectifs finissant par ***-io*** avec ***i*** tonique, le conservent :
  pio → piissimo.

Si le *i* est atone, il disparaît :
  vario → varissimo.

EXCEPTION *ampio → amp**l**issimo.*

– Les adjectifs se terminant par ***-co*** et ***-go*** qui suivent les règles déjà énoncées pour la formation du pluriel (▷ voir page 21), forment leur superlatif de la même façon :
  *ricco → ri**cch**issimo ;*
  *largo → lar**gh**issimo*

– On peut trouver le suffixe ***-issimo*** avec des substantifs ; ce sont, en général, des expressions figées :
  *il campion**issimo*** (le grand champion sportif)
  *la final**issima*** (la grande finale – d'un jeu, d'un tournoi)

– Quelques adjectifs ont gardé la forme latine du superlatif. On l'utilise dans une langue recherchée :

acre	*acerrimo*	(très acharné)
celebre	*celeberrimo*	(très célèbre)
integro	*integerrimo*	(très intègre)
misero	*miserrimo*	(très malheureux)
salubre	*saluberrimo*	(très salubre)

Dans la langue courante, on préfère utiliser les formes avec ***molto***.

- On peut former le superlatif en répétant l'adjectif s'il est court :
  alto alto (très grand)
  È facile facile. (C'est très facile.)

- On peut également trouver deux adjectifs qui forment une expression figée :
  bagnato fradicio (trempé jusqu'aux os)
  pieno zeppo (plein à craquer)
  stanco morto (mort de fatigue)

- Le préfixe ***stra-*** peut servir à marquer l'intensité ; on le trouve avec des adjectifs et des verbes :
  stragrande (très grand) ; *strapieno* (plein à craquer)
  straricco (richissime) ; *strafare* (en faire trop)

Il en est de même pour les préfixes ***arci-, ultra-, super-, sovra-*** :
  ultramoderno, ultrasensibile
  L'autobus era sovraffollato. (L'autobus était bondé.)

3. Les superlatifs irréguliers

adjectif	superlatif relatif	superlatif absolu
buono	***il migliore***	***ottimo***
cattivo	***il peggiore***	***pessimo***
grande	***il maggiore***	***massimo***
piccolo	***il minore***	***minimo***

- L'emploi des formes irrégulières n'est pas obligatoire. Dans la langue parlée on trouve très souvent :

  Questo vino è il più buono. (Ce vin est le meilleur.)

Mais les formes irrégulières sont utilisées au sens figuré et toujours à l'écrit :

*Maria è la **migliore** di tutte.* (Marie est la meilleure de toutes.)

- ***Minore*** et ***maggiore***, quand ils sont suivis d'un nom, correspondent au français « moins de », « plus de » :

  *con **minore** fatica* (avec moins de fatigue)
  *per **maggiore** sicurezza* (pour plus de sûreté)

- ***Massimo*** et ***minimo***, qui sont des superlatifs absolus, peuvent être employés comme superlatifs relatifs dans quelques expressions :

  *Ho la **massima** ammirazione per quest'autore.*
  (J'ai la plus grande admiration pour cet auteur.)
  *senza il **minimo** disturbo* (sans le moindre dérangement)

- Ils peuvent être également substantivés :

  *il **massimo*** (le maximum)
  *il **minimo*** (le minimum)

4. Le superlatif des adverbes – Remarques sur *più* et *meno*

- Le superlatif des adverbes se forme de la même façon que le superlatif des adjectifs :

  *È venuto **molto** tardi / è venuto tard**issimo**.*
  (Il est venu très tard.)
  *È andato **molto** lontano / è andato lontan**issimo**.*
  (Il est allé très loin.)

Mais on supprime l'article devant le superlatif des adverbes :

*È mio fratello che dorme **più a lungo**.*
(C'est mon frère qui dort le plus longtemps.)

- ***Di più, di meno*** traduisent le français « le plus », « davantage », « le moins » après un verbe :

  *È ciò che mi piace **di meno**.* (C'est ce qui me plaît le moins.)
  *Maria lavora **di più**.* (Maria travaille davantage.)

- ***Più*** et ***meno***, invariables, peuvent avoir valeur d'adjectifs indéfinis :

  *Il caffè mi piace con **più** zucchero.*
  (J'aime le café avec plus de sucre.)
  *Vorrei avere **meno** difficoltà.*
  (Je voudrais avoir moins de difficultés.)

EXERCICES

❶ Compléter les phrases suivantes par un article, si c'est nécessaire, et par la forme verbale qui convient (le verbe est à l'infinitif) :

1. Andarono sulla cima ... meno alta dei monti delle Alpi Apuane.
2. Abbiamo visitato i musei ... più importanti.
3. Questo libro è ... più interessante che si (potere) leggere.
4. È la regione ... più sismica dell'Italia.
5. È ... più bella poesia che egli (sapere).
6. Sono loro che corrono ... meno rapidamente.
7. Ecco ... più bei modelli della collezione.
8. Sono i serpenti ... più velenosi.
9. È un modello molto bello, ... più recente che io (avere) in vendita.
10. Siamo arrivati alla pasticceria, è ... migliore della città.

❷ Former le superlatif absolu des expressions suivantes selon le modèle :

un ragazzo molto simpatico.
→ *un ragazzo simpaticissimo.*

1. una donna molto strana.
2. uno spettacolo molto interessante.
3. Ero molto stanca.
4. la piazzetta molto celebre.
5. un film molto bello.
6. un problema molto ampio.
7. è molto fortunata.
8. un giudice molto integro.
9. Piero si sente molto bene.
10. una situazione molto infelice.
11. un viadotto molto alto.
12. un uomo molto pio.
13. una donna molto ricca.

❸ Mettre les adjectifs au superlatif et compléter les phrases avec le complément donné entre parenthèses :

Ho comprato un bel braccialetto (il negozio).
→ *Ho comprato il più bel braccialetto del negozio.*

1. Ho bevuto un buon caffè (la città).
2. Hanno ammirato un bel tramonto (le vacanze).
3. Conoscono un ristorante caro (la regione).
4. Ecco una ragazza chiacchierona (la classe).
5. È un giocatore bravo (la squadra).
6. Suo fratello è nervoso (la famiglia).
7. Questa stanza è rumorosa (l'appartamento).
8. Questa macchina è cara (la serie).
9. È un prezzo basso (la stagione).

❹ Traduire :

1. Elle est fatiguée mais c'est elle qui travaille le plus.
2. Ce tableau est celui qui me plaît le moins.
3. Ce vin est le meilleur de ma cave.
4. Il le salua avec le plus grand respect.
5. Nous ferons le maximum pour vous donner satisfaction.
6. Je veux moins de crème Chantilly sur les fraises.
7. Il a eu une très mauvaise note.
8. À la moindre erreur, le professeur se fâche.
9. C'est mon meilleur ami.

Voir corrigés page 173.

7 Les suffixes

L'italien présente un grand nombre de suffixes ; ils peuvent être ajoutés aux noms, aux adjectifs, et même aux verbes, provoquant ainsi une différence de sens par rapport au mot de base. Il y a, d'une part, une valeur diminutive ou augmentative, de l'autre, une valeur positive ou négative. Mais ces deux valeurs ne s'excluent pas car à la petitesse, on peut associer la délicatesse et la gentillesse ou bien la faiblesse et la mesquinerie, tandis qu'à la grandeur on peut associer la force et la valeur ou bien la laideur, la lourdeur et même la vulgarité.

Rappelons que l'emploi du suffixe n'est pas arbitraire, il est difficile, cependant, de donner des règles fixes. De même, il est difficile de donner une traduction qui respecte toutes les nuances de l'italien.

1. Les suffixes diminutifs

a) Suffixes les plus fréquents avec valeur positive

-ino*, *-ina :

mamma — *mamm**ina***
ragazzo — *ragazz**ino***
bello — *bell**ino***

avec deux variantes ***-icino*** et ***-olino*** :

cuore — *cuor**icino***
corpo — *corp**icino***
magro — *magr**olino***
pesce — *pesci**olino***

Dans la langue parlée et familière, on trouve de plus en plus des adverbes avec le suffixe ***-ino*** :

presto (tôt) — *prest**ino***
tardi (tard) — *tard**ino***

-etto*, *-etta :

bacio — *bac**etto***
camera — *camer**etta***

Les deux suffixes ***-etto*** et ***-ino*** peuvent être cumulés :

casa — *cas**ettina***

-ello*, *-ella :

albero — *alber**ello***
cattivo — *cattiv**ello***

avec les variantes ***-icello*** et ***-erello*** :

vento — *vent**icello***
vecchio — *vecchi**erello***

-uccio*, *-uccia :

caldo — *cald**uccio***
canto — *cant**uccio***

-uzzo*, *-uzza :

pietra — *pietr**uzza***

b) Autres diminutifs

-icciolo*, *-icciola :

porto — *port**icciolo***
festa — *fest**icciola***

-otto*, *-otta :

contadino — *contadin**otto***
pieno — *pien**otto***

Ce suffixe sert à désigner quelques animaux jeunes :

aquila	*aquil**otto*** (aiglon)
lepre	*lepr**otto*** (levraut)

-acchiotto :

furbo (rusé)	*furb**acchiotto***

Ce suffixe sert aussi à désigner les petits des animaux :

orso	*orsacchi**otto*** (ourson)
lupo	*lupacchi**otto*** (louveteau)

***c)* Diminutifs péjoratifs**

-iciattolo*, *-iciattola :

febbre (fièvre)	*febbr**iciattola***
mostro (monstre)	*mostr**iciattolo***

-uccio*, *-uccia peut avoir aussi une valeur péjorative :

cosa (chose)	*cos**uccia***

2. Les suffixes augmentatifs

***a)* Idée de grandeur**

-one*, *-ona :

pigro	*pigr**one***
pigra	*pigr**ona***
letto	*lett**one***
un bacio	*un baci**one***
una stanza	*uno stanz**one***

(Les noms féminins deviennent masculins sauf *ragazza* → *ragazzon**a***)

-acchione (Ce suffixe a une connotation ironique) :

furbo (malin)	*furb**acchione***
matto (fou)	*matt**acchione***

-occio*, *-occia (pour les adjectifs) :

bello	*bell**occio***
grasso	*grass**occio***

***b)* Intention péjorative**

-accio*, *-accia (le plus employé) et ***-azzo*, *-azza*** :

libro	*libr**accio***
vita	*vit**accia***
amore	*amor**azzo***

-astro, ***-igno***, ***-ognolo***, ***-iccio*** s'ajoutent aux adjectifs de couleur. Ils peuvent aussi indiquer une qualité atténuée, douteuse, etc. :

bianco — *bianc**astro***
verde — *verd**astro**, verd**igno**, verd**ognolo***
aspro — *aspr**igno***
sudato — *sudat**iccio***
malato — *malat**iccio***

3. Les suffixes collectifs et suffixe *-ata*

-io indique une action répétée, incessante dans le temps :
*un lavor**io**, un logor**io**, un borbott**io*** (l'accent tonique tombe sur le *i*)

-aglia indique un ensemble :
il bosco — *la bosc**aglia***

Ce suffixe a parfois un sens péjoratif :
la plebe — *la pleb**aglia***
la gente — *la gent**aglia***

-ame et ***-ume*** forment des mots collectifs :
*il fogli**ame*** (feuillage), *il besti**ame*** (bétail), *il poll**ame*** (la volaille), *i dolci**umi*** (les sucreries), *i sal**umi*** (la charcuterie)

-ume a très souvent une valeur péjorative :
bianco — *bianc**ume***

-eto, ***-eta*** indiquent un lieu planté d'arbres spécifiques :
agrume — *agrum**eto*** (plantation d'agrumes)
olivo — *oliv**eto*** (oliveraie)
pino — *pin**eta*** (pinède)

● Le suffixe ***-ata*** s'emploie pour indiquer :

– un coup :
*una baston**ata*** (un coup de bâton)
*una ped**ata*** (un coup de pied)
*una fucil**ata*** (un coup de fusil)

– une trace :
*una man**ata*** (une trace de main)
*una ped**ata*** (une trace de pied, de pas)

– le contenu :
*una manci**ata*** (une poignée)
*una bracci**ata*** (une brassée)

– la durée, l'intensité :

*una mattin**ata*** (une matinée)
*una giorn**ata*** (une journée)
*una fiamm**ata*** (une flambée)

→ **N.B.** Le même mot peut avoir deux sens.
una palata (un coup de pelle et une pelletée).

4. Les suffixes des verbes

Le suffixe sert à indiquer un aspect du verbe : répétition, absence de continuité ou atténuation.

-ellare, ***-erellare*** :

giocare	*gioch**erellare***
saltare	*salt**ellare***, *salt**erellare***
cantare	*cant**erellare***

-ettare :

fischiare	*fischi**ettare***
scoppiare	*scoppi**ettare***

-uzzare :

tagliare	*tagli**uzzare***

-icchiare, ***-acchiare***, ***-ucchiare*** :

cantare	*cant**icchiare***
dormire	*dorm**icchiare***
rubare	*rub**acchiare***
mangiare	*mangi**ucchiare***

EXERCICES

❶ **Donner le diminutif le plus courant des mots suivants :**

1.	2.	3.	4.
ora	luce	vaso	bello
camera	pensiero	animale	magro
donna	tavola	brutto	piccolo
casa	teatro	albero	anello
libro	pianta	vestito	nervoso
mano	vento	treno	leggero
dottore	scarpa	presto	sforzo
finestra	coltello	collana	foglio

❷ Donner le suffixe augmentatif et/ou péjoratif des mots suivants :

1.	2.	3.	4.
una matita	una tavola	una scatola	una donna
un libro	una febbre	un momento	una finestra
una pancia	un piatto	una fetta	una borsa
una stanza	un pensiero	una serata	una bottiglia
una macchina	una vita	un tempo	una pagina

❸ Suffixes collectifs :

1. Un luogo piantato ad olivi è ...
2. Un luogo piantato a faggi è ...
3. Un luogo piantato a querce è ...
4. Un luogo piantato ad aranci è ...
5. Un luogo piantato a castagni è ...
6. Un luogo piantato a frassini è ...
7. Un luogo piantato a pioppi è ...

❹ Mettre le suffixe qui convient :

1. Si è dato un(a) (martello) sul pollice.
2. L'assassino ha ammazzato la vittima con un(a) (pugnale).
3. Non ha voluto dargli un(a) (bastone)
4. Cristina si è difesa con delle (piede) e delle (unghia).
5. Maria gli ha dato una (mano) sulla testa.

Voir corrigés page 173.

8 Les possessifs

1. Les formes des adjectifs et des pronoms possessifs

Personne et genre	un possesseur		plusieurs possesseurs	
	un objet	plusieurs objets	un objet	plusieurs objets
1re pers. masc.	*il mio*	*i miei*	*il nostro*	*i nostri*
fém.	*la mia*	*le mie*	*la nostra*	*le nostre*
2e pers. masc.	*il tuo*	*i tuoi*	*il vostro*	*i vostri*
fém.	*la tua*	*le tue*	*la vostra*	*le vostre*
3e pers. masc.	*il suo*	*i suoi*	*il loro*	*i loro*
fém.	*la sua*	*le sue*	*la loro*	*le loro*

a) Les adjectifs et les pronoms possessifs ont la même forme.
Les pronoms sont toujours précédés de l'article défini, ainsi que les adjectifs sauf dans quelques cas (▷ voir page 45).

il *mio libro* (mon livre)
la *loro macchina* (leur voiture)
il *mio* (le mien)
la *loro* (la leur)

b) Il existe deux autres possessifs : ***proprio*** et ***altrui***.

- ***proprio, -a***

– peut remplacer, contrairement au français, l'adjectif possessif de la 3e personne, au singulier ou au pluriel, quand il se rapporte au sujet de la proposition :

Ha venduto ***la propria*** *casa.* (Il a vendu sa maison.)
Hanno fatto ***il proprio*** *dovere.* (Ils ont fait leur devoir.)

– est utilisé pour éviter une ambiguïté :

Il nonno ha portato il nipotino nella ***propria*** *casa. (la casa del nonno)*
(Le grand-père a emmené son petit-fils chez lui.)

– est obligatoire dans les tournures impersonnelles et quand le sujet est un indéfini :

Bisogna prendere le ***proprie*** *responsabilità.*
(Il faut prendre ses responsabilités.)
Ognuno può esprimere la ***propria*** *opinione.*
(Chacun peut exprimer son opinion.)

– peut, comme en français, renforcer le possessif mais cette tournure est lourde :

L'ho visto con ***i miei propri*** *occhi.* (Je l'ai vu de mes propres yeux.)

- ***altrui*** invariable, a le sens de « d'autrui », « des autres ». Il suit le nom sans article :

Non spendere il denaro ***altrui***. (Ne dépense pas l'argent d'autrui.)
Agire nell'interesse ***altrui***. (Agir dans l'intérêt d'autrui.)

2. La construction de l'adjectif possessif

En général, l'adjectif possessif précède le nom comme en français. Il est employé

- généralement avec l'article défini :

il mio *cane* (mon chien)

- mais aussi avec l'article indéfini :

Un mio *amico è partito per Parigi.* (Un de mes amis est parti pour Paris.)

- un adjectif démonstratif :

Questi tuoi *amici sono antipatici.* (Tes amis sont antipathiques.)
Ho ***la tua stessa*** *età.* (J'ai le même âge que toi.)

- un indéfini :
  Ogni sua *macchina costa una fortuna.*
  (Chacune de ses voitures coûte une fortune.)

- les numéraux :
  due tuoi *ammiratori* (deux de tes admirateurs)

3. L'emploi de l'adjectif possessif

a) Le possessif est postposé au nom

- dans les phrases exclamatives et vocatives :
  Dio ***mio*** *! Come si può fare ?* (Mon Dieu ! Comment peut-on faire ?)
  Cara ***mia****, è cosi.* (Ma chère, c'est ainsi.)

- dans les cas de mise en relief :
  È l'opinione ***mia****.* (C'est mon opinion à moi.)
  Non toccare la roba ***mia*** *!* (Ne touche pas mes affaires !)

- dans certaines locutions figées et sans l'article défini :
  a casa ***mia****, a casa* ***tua****...* (chez moi, chez toi...) *; per colpa* ***sua*** (par sa faute) *; per merito* ***tuo*** (grâce à toi) *; per amor* ***tuo*** (pour l'amour de toi) *; di testa* ***mia*** (de mon propre chef) *; a parer* ***mio*** (à mon avis) *; a modo* ***mio*** (à ma façon)

b) Emplois particuliers

– ***i miei****,* ***i tuoi****...* indiquent les parents (père et mère) et la famille :
  I miei *abitano ancora in Italia.*
  (Mes parents habitent encore en Italie.)

– ***la mia, la tua*** avec pour sous-entendu *opinione* indiquent l'opinion, le jugement.
  Vuol sempre dire ***la sua****.* (Il veut toujours dire son opinion.)

c) Possessif sans article

On supprime l'article défini devant le possessif :

- dans certaines locutions figées citées précédemment ;

- quand le substantif est attribut :
  Sarete ***miei*** *testimoni.* (Vous serez mes témoins.)
  Li consideriamo ***nostri*** *amici.* (Nous les considérons comme nos amis.)

- avec les titres honorifiques :
  Sua Eccellenza, Sua Santità

- avec les noms en apposition :

    *Non ho visto Elsa, **mia** carissima amica, da tanto tempo.*
    (Je n'ai pas vu Elsa, mon amie très chère, depuis longtemps.)

- quand on traduit la tournure : « Il (elle) est à moi, toi… » indiquant l'appartenance :

    *Di chi è la moto ? È **mia**.* (À qui est la moto ? Elle est à moi.)
    *È **mia**.* (Elle est à moi.)
    *È **la mia**.* (C'est la mienne.)

- avec les noms indiquant un rapport de parenté (quand le nom est au singulier) :

    ***mia** madre* (ma mère) *; **mio** figlio* (mon fils) *; **suo** zio* (son oncle)

Toutefois, on ne supprime pas l'article défini avec les noms de parenté :
– quand on emploie ***loro*** ou ***proprio*** :

    ***la loro** madre* (leur mère)

– quand le nom est au pluriel :

    ***i suoi** fratelli* (ses frères)
    ***i nostri** zii* (nos oncles)

– quand le nom est déterminé par un complément ou un adjectif :

    il** tuo cugino **preferito (ton cousin préféré)
    la** tua zia **di Milano (ta tante de Milan)

– avec les noms affectueux, les noms modifiés par un suffixe ou les noms composés :

    ***la** mia mamma* (maman)
    ***la** mia bisnonna* (mon arrière-grand-mère)
    ***la** tua cuginetta* (ta petite cousine)

En ce qui concerne ***nonno, -a*** (« grand-père », « grand-mère »), l'usage hésite entre ***il mio nonno*** et ***mio nonno***.

4. La suppression de l'adjectif possessif

En italien, le possessif est moins fréquent qu'en français : on le supprime quand il n'y a pas d'hésitation sur le possesseur, lorsqu'il s'agit des parties du corps, des objets que l'on porte :

    Sonia mi ha restituito il libro. (Sonia m'a rendu mon livre.)
    Metti il cappotto ! (Mets ton manteau !)
    Ho rotto gli occhiali. (J'ai cassé mes lunettes.)

Il peut aussi être remplacé par un pronom personnel complément indirect (▷ voir page 59) ou à la forme pronominale :

    *Non **gli** parte la macchina.* (Sa voiture ne part pas.)
    ***Mi** tolgo la giacca.* (J'enlève ma veste.)

EXERCICES

❶ Mettre l'adjectif ou le pronom possessif qui convient dans les phrases suivantes :

1. Lasciarono ... paese per partire per l'America.
2. È necessario che ciascuno curi i ... interessi.
3. Ti ho detto ... ragioni ; ora dimmi ...
4. Essi dimenticano che ... pretese sono esagerate.
5. Non tutti hanno il coraggio di ammettere i ... errori.
6. Non abbiamo notizie ... da quando è partito.
7. Capisco le ... esitazioni ma non so come aiutarti.
8. È partito con i ... figli.
9. Ciascuno sostiene ... idee.

❷ Traduire :

1. Deux de tes amis sont venus hier soir.
2. Tes collègues sont sympathiques.
3. Le Louvre est un grand musée : chacune de ses salles mérite une visite.
4. – À qui est cette voiture ? – Elle est à moi.
5. Je comprends tes problèmes, tu peux comprendre les miens.
6. Ne prends pas l'argent d'autrui !
7. Leur maison est en vente.
8. Cette chambre sera la tienne pendant les vacances.
9. Vos projets sont plus ambitieux que les nôtres.
10. Mes parents se souviendront de toi.
11. On n'est jamais content de son sort.
12. Il est content : son équipe a gagné.
13. Tu n'as jamais les mêmes idées que moi.
14. Il n'a pas besoin de tes conseils.
15. Que chacun prenne ses dispositions.
16. Nous devons essayer de comprendre les idées d'autrui.

❸ Mettre l'article défini qui convient à la place des pointillés quand cela est nécessaire :

1. ... mio fratello maggiore si è sposato ieri.
2. ... suo padre è medico.
3. ... loro sorella abita a Milano.
4. Bisognerà cambiare, ... bambina mia !
5. ... mia nonna paterna era sarta.
6. ... suoi fratelli sono tutti impiegati.
7. ... mia figlia vorrebbe essere ballerina.
8. Lo farò a ... modo mio.
9. ... mia nipote è disoccupata.
10. ... sua bisnonna ha cento anni.
11. Accompagna spesso ... suo marito durante ... suoi viaggi.
12. ... suoi zii sono tutti a Roma.
13. Questo è ... merito vostro, cari ragazzi !

14. Sono ... affari tuoi !
15. Mettiti a ... tuo agio !
16. ... sua suocera è malata e ... sua mamma l'aiuta.
17. Sono andata al cinema con ... mio padre.
18. Questa è ... mia preoccupazione principale.
19. Ci devo riuscire con ... mie proprie forze.

❹ Faire des phrases correctes en choisissant les éléments qui conviennent :

Accompagno	l' il mio lo il mio	nonno amico fratello zio	di Paola	all'aeroporto.

Voir corrigés page 174.

9 Les démonstratifs

1. Les adjectifs démonstratifs

Les adjectifs démonstratifs sont toujours placés avant le nom et ne sont jamais précédés d'un article mais on peut trouver un adjectif démonstratif et un adjectif possessif se rapportant au même substantif.

a) **Formes**

masculin		féminin	
singulier	pluriel	singulier	pluriel
questo ***codesto*** ***quel, quello*** ***quell'***	***questi*** ***codesti*** ***quei, quegli***	***questa*** ***codesta*** ***quella, quell'***	***queste*** ***codeste*** ***quelle***

quest'anno, questa donna, quell'ora
quell'uomo, quegli uomini, quel libro

b) **Emplois**
Les adjectifs démonstratifs les plus employés sont ***questo*** et ***quello***, qui s'opposent entre eux.

- ***questo, -a*** s'élide devant une voyelle au singulier masculin ou féminin. Il indique une personne ou une chose proche de celui qui parle (proximité dans l'espace, dans le temps ou dans le contexte) :

    Questi *consigli sono superflui.* (Ces conseils sont superflus.)

→ **N.B.** La forme ***questa*** devient ***sta*** dans quelques mots :

stanotte (cette nuit), *stasera* (ce soir), *stamattina* (ce matin)

- ***quello, -a***, qui varie comme l'article contracté ***dello*** (▷ voir page 15), indique une personne ou une chose éloignée de celui qui parle et de celui qui écoute :

    Quella *casa non è più in vendita.* (Cette maison n'est plus en vente.)

    quell'*anno* (cette année-là)

- ***codesto, -a*** indique une personne ou une chose proche de celui qui écoute. Aujourd'hui, il ne s'emploie qu'en Toscane ; l'usage remplace ***codesto*** par ***questo***.

2. Les pronoms démonstratifs

- ***questo, -i*** ***questa, -e*** / ***codesto, -i*** ***codesta, -e*** / ***quello, -i*** ***quella, -e*** } pour remplacer les personnes et les choses.

On retrouve les formes des adjectifs, mais elles sont employées sans élision ni apocope. Les remarques que nous avons faites sur la proximité, l'éloignement ou l'usage à propos des adjectifs démonstratifs sont les mêmes pour les pronoms :

Vorrei vedere ***questa*** *maglia, no,* ***quella****.*

(Je voudrais voir ce pull, non, celui-là.)

Rappelons que le pluriel du pronom ***quello*** est toujours ***quelli***.

Quelli *sono interessanti !* (Ceux-là sont intéressants !)

- ***costui*** (masc.), ***costei*** (fém.), ***costoro*** (pluriel) correspond à ***codesto***. Il peut seulement remplacer des personnes et a un sens péjoratif :

    Chi è ***costei*** *?* (Qui est-ce, celle-là ?)

- ***colui*** (masc.), ***colei*** (fém.), ***coloro*** (pluriel) correspond à ***quello***. Le pronom peut-être sujet ou complément, mais il peut seulement remplacer des personnes. L'emploi de ***colui***, ***colei***, ***coloro*** est fréquent avec le relatif ***che***, pour traduire le français « celui qui », « celle qui »…

    Coloro che *non avranno l'invito, non potranno entrare.*

    (Ceux qui n'auront pas d'invitation ne pourront pas entrer.)

Remarque

Dans la langue littéraire, les formes ***questi*** et ***quegli*** peuvent être des pronoms sujets singuliers ayant respectivement la valeur de « celui-ci », « ce dernier » et « celui-là » :

*Simone e Franco sono gemelli ma **questi*** (c'est-à-dire Franco) *è biondissimo, **quegli** ha i capelli scuri.*

- ***quanti***, ***quante*** est à la fois pronom relatif et pronom démonstratif. Il signifie « (tous) ceux qui », « ceux que », « (toutes) celles qui », « celles que » :

*La documentazione verrà spedita a **quanti** ne facciano richiesta.*
(La documentation sera expédiée à ceux qui le demanderont.)

3. Les emplois particuliers des démonstratifs

- L'adjectif démonstratif peut remplacer l'article défini devant le possessif :

***questo tuo** orgoglio* (cet orgueil / ton orgueil)
***questa sua** opera* (son œuvre que voici)

- ***quello, -a*** pronom, peut indiquer l'identité ; après *essere* et *parere*, il a le sens de « le même » :

*La mia vita è sempre **quella**.* (Ma vie est toujours la même.)

- Les pronoms ***quello, -a...*** peuvent préciser un adjectif :

*Mettiti la sciarpa ! – **Quella** rossa ?* (Mets ton écharpe ! – La rouge ?)

- Le démonstratif s'accorde toujours avec le nom qu'il annonce :

***Queste** sono le mie richieste.* (Voici mes requêtes.)

Attention aux constructions très italiennes :

***Quella** è una rivalità che dura da anni.*
(Voilà une rivalité qui dure depuis des années.)
*Il desiderio che esprimeva era **quello** di comunicare ciò che sentiva.*
(Le désir qu'il exprimait était de communiquer ce qu'il ressentait.)
***Questa** è mia sorella.* (Voici ma sœur.)

4. Les pronoms démonstratifs neutres

- « Ceci », « cela » se rendent par ***questo***, ***quello*** ou ***ciò***.

La forme la plus courante est ***ciò*** qui peut être sujet ou complément :

*Tutto **ciò** è falso.* (Tout cela est faux.)
*Di **ciò** parleremo domani.* (Nous parlerons de cela demain.)

- Pour traduire « ce qui », « ce que », on peut utiliser indifféremment ***quello che***, ***quel che*** ou ***ciò che*** :
  Ciò che *dici è molto importante.* (Ce que tu dis est très important.)
  Dimmi ***quello che*** *è superfluo.* (Dis-moi ce qui est superflu.)

→ **N.B.** ***perciò*** (c'est pourquoi)
cioè (c'est-à-dire)

- ***Quanto*** est à la fois relatif et démonstratif ; il se réfère aux choses et signifie « tout ce qui », « tout ce que » :
  Penso sempre a ***quanto*** *ha fatto per me.*
  (Je pense toujours à ce qu'il a fait pour moi.)
  Farò ***quanto*** *sarà possibile.* (Je ferai tout ce qui sera possible.)
  per ***quanto*** *mi riguarda* (en ce qui me concerne)

Remarques

– En général, le pronom sujet « ça » ne se traduit pas en italien :
Sa di bruciato qui ! (Ça sent le brûlé ici !)
Va bene. (Ça va.)
Basta. (Ça suffit.)

– Il en est de même pour le pronom « ce » dans « c'est », « ce sont », « c'était » etc. :
È vero. (C'est vrai.)
Sono i figli di Laura. (Ce sont les enfants de Laure.)

– Pour traduire « c'est moi », « c'est toi »... on fait l'accord du verbe avec le sujet :
Sono io. (C'est moi.)
Eravate voi ? (C'était vous ?)

5. *Stesso, medesimo* (« même »)

Stesso et ***medesimo*** sont considérés comme des démonstratifs alors qu'en français « même » appartient aux indéfinis. ***Stesso*** est plus courant.

- adjectif :
  Abbiamo le ***stesse*** *idee e gli* ***stessi*** *gusti.*
  (Nous avons les mêmes idées et les mêmes goûts.)

- pronom :
  Gli abbonati sono ***gli stessi*** *dell'anno scorso.*
  (Les abonnés sont les mêmes que ceux de l'année dernière.)
  È ***lo stesso*** = *È* ***la stessa cosa***. (C'est la même chose.)

Ils peuvent renforcer le nom ou le pronom qui les précèdent et signifient « en personne » :
Il presidente ***stesso*** *l'ha applaudito.* (Le président lui-même l'a applaudi.)
Io ***stesso*** *ammetto di aver sbagliato.*
(Moi-même j'admets que je me suis trompé.)

E X E R C I C E S

❶ Mettre au pluriel les expressions suivantes :

1. quella cassetta
quel disco
questo tavolo
quest'uomo
quella serie

2. questo zucchino
quel gelato
quest'idea
codesto telefono
quest'isola

3. quello specchio
quel problema
quell'anno
codesta donna
quello straniero

❷ *Questo/Quello*. Mettre l'adjectif démonstratif qui convient :

1. Ti piacerebbe tornare in ... albergo dove eravamo l'anno scorso ?
2. ... estate, Stefano e Daniele sono andati in Giappone ; mi piacerebbe fare ... viaggio.
3. Da ... momento, decisi di studiare veramente.
4. Sei immerso in ... libro e non ti accorgi di niente.
5. ... nostro mondo è sempre più inquinato.
6. Non vuoi capire che con ... sistemi, non risolverai niente.
7. ... alberi che vedi laggiù saranno abbattuti.
8. Smettila con ... tue pretese !
9. Com'erano belli ... tempi !
10. Con ... nebbia saranno in ritardo.
11. Vieni ... sera ? andiamo in pizzeria.
12. Alla fine di ... mese, avremo gli esami.
13. Non ti sarà facile in ... condizioni.
14. ... mattina sono andata in tanti uffici !
15. In ... anni, Montale scrisse pochi versi.

❸ Traduire :

1. Voilà mes disques, quels sont ceux que tu veux écouter ?
2. Un jour, nous irons visiter ces pays-là.
3. Ces coups de téléphone sont inquiétants.
4. J'ai assaisonné la salade avec cette huile-ci.
5. Ne mets pas tout ce sucre dans mon café.
6. – Je prends quelle serviette ? – Celle qui est pliée.
7. Ces maisons ne ressemblent pas à celles de mon pays.
8. Ça ne va pas aujourd'hui.
9. Dis-moi ce que tu veux.
10. – Qui est-ce ? – C'est moi.
11. Cette nuit il a beaucoup plu.
12. Ce sont les parents de Sara.
13. Nos voitures sont de la même couleur.

❹ Mettre le pronom démonstratif qui convient :

1. ... che non sanno ... che vogliono, devono decidere.
2. Ha fatto tutto ... che poteva fare.
3. Dei due progetti, preferisco ... dell'architetto.

4. – Mi dai una camicia ? – Va bene ... a righe ?
5. Dammi i nomi di ... che non sono venuti.
6. Con ... ho finito.
7. Le mie abitudini sono sempre ...
8. ... che vogliono vedere il professore devono prendere un appuntamento.
9. Le due sorelle non si assomigliano : ... è bionda, ... altra è bruna.
10. Quando una terra ha un carattere è ... che risalta all'attenzione.
11. Parlava con ... che stavano per partire.
12. Queste ragazze sono simpatiche ma ... no !
13. Vieni con tutto ... che occorre per fare un barbecue.
14. Se non sei contento con tutto ... !

Voir corrigés page 174.

10 Les pronoms personnels

	Pronoms sujets	**Avec verbe réfléchi**	**Formes toniques**	**Formes atones**	
				Complément direct	**Complément indirect**
Singulier :					
1re pers.	*io*	*mi*	*me*	*mi*	*mi*
2e pers.	*tu*	*ti*	*te*	*ti*	*ti*
3e pers./masc.	*egli, esso, lui*		*lui*	*lo*	*gli*
3e pers./fém.	*essa, lei*	*si*	*lei*	*la*	*le*
Forme de politesse	*lei*		*lei*	*la*	*le*
Réfléchi			*sé*		
Pluriel :					
1re pers.	*noi*	*ci*	*noi*	*ci*	*ci*
2e pers.	*voi*	*vi*	*voi*	*vi*	*vi*
3e pers./masc.	*essi, loro*		*loro*	*li*	*loro*
3e pers./fém.	*esse, loro*	*si*	*loro*	*le*	*loro*
Forme de politesse	*loro*		*loro*	*le*	*loro*
Réfléchi			*sé*		
Pronoms neutres					*ne, ci, vi*

1. Les pronoms sujets

	Singulier	Pluriel
1re pers. 2e pers. 3e pers.	***io*** ***tu*** ***egli, esso, lui*** ***essa, lei***	***noi*** ***voi*** ***essi, loro*** ***esse, loro***

En général, le pronom sujet n'est pas exprimé car la forme verbale est souvent sans ambiguïté :

Vado a Firenze. (Je vais à Florence.)
Pensiamo il contrario. (Nous pensons le contraire.)

Cependant, le pronom sujet est exprimé :

- au subjonctif présent (aux trois personnes du singulier) et aux première et deuxième personnes du singulier du subjonctif imparfait :

  *Bisogna che **io** lo faccia.* (Il faut que je le fasse.)
  *Se **tu** potessi venire !* (Si tu pouvais venir !)

- lorsqu'on veut mettre en relief le sujet et dans les appositions :

  *Mi hai autorizzato **tu**.*
  (C'est toi qui m'as autorisé.)
  ***Io** lavoro e **tu** non fai niente.*
  (Moi, je travaille et toi, tu ne fais rien.)

Remarques

– On emploie ***me*** et ***te*** à la place de ***io***, ***tu*** après ***come, quanto, tranne*** et dans les exclamatives sans verbe :

*Sono arrabbiato quanto **te**.* (Je suis aussi fâché que toi.)
*Povero **me** !* (Pauvre de moi !)

– Les pronoms sujets de la 3e personne : ***egli*** est réservé aux personnes, ***esso*** ne s'emploie que pour les animaux et les choses tandis qu'au féminin ***essa*** (pluriel ***esse***) s'emploie aussi bien pour les personnes que pour les choses.

– ***Lui, lei, loro*** qui sont des pronoms compléments sont de plus en plus employés comme pronoms sujets ; ils sont obligatoires :

- quand on veut insister,
- dans les oppositions,
- après ***anche – neanche, pure – neppure, nemmeno,***
- dans les exclamatives sans verbe,
- après ***come*** ou ***quanto*** dans les comparaisons :

  *Non rivolgerti a Marco, **lui** non sa nulla.*
  (Ne t'adresse pas à Marco, lui, il ne sait rien.)
  *L'ha detto **lei**.* (C'est elle qui l'a dit.)
  ***Anche** lui è uscito.* (Il est sorti lui aussi.)
  *Sei ricco **come lui**.* (Tu es aussi riche que lui.)

2. Les pronoms réfléchis

	Singulier	Pluriel
1re pers. 2e pers. 3e pers.	***mi*** ***ti*** ***si***	***ci*** ***vi*** ***si***

***Mi** alzo alle 7.* (Je me lève à 7 heures.)
***Si** addormenta.* (Il s'endort.)

■ **Emploi de *sé*** (réfléchi complément après préposition)

- pour traduire le français « soi » :
  *Ognuno per **sé**.* (Chacun pour soi.)

- lorsque le pronom complément de la 3e personne (« lui », « eux », « elle », « elles ») désigne la même personne que le sujet.
  *Lavora per **sé**.* (Il travaille pour lui./Elle travaille pour elle. [selon le contexte])

3. Les pronoms personnels toniques

	Singulier	Pluriel
1re pers. 2e pers. 3e pers. Forme de politesse Réfléchi	***me*** ***te*** ***lui, lei*** ***lei*** ***sé***	***noi*** ***voi*** ***loro*** ***loro*** ***sé***

Ces pronoms compléments s'emploient :

- avec une préposition :
  *Lo faccio **per te**.* (Je le fais pour toi.)
  *Hanno parlato **di te**.* (Ils ont parlé de toi.)

- pour mettre en relief le complément après le verbe :
  *Vogliono **me**.* (C'est moi qu'ils veulent.)

- après ***come*** et ***quanto*** et dans les exclamatives sans verbe (▷ voir page 54).

Pour le réfléchi complément, ▷ voir ci-dessus.

4. Les pronoms atones

a) Complément direct

	Singulier	Pluriel
1re pers. 2e pers. 3e pers. Forme de politesse	***mi*** ***ti*** ***lo, la*** ***la***	***ci*** ***vi*** ***li, le*** ***le***

__Ti__ accompagno. (Je t'accompagne.)
__Lo__ vedo domani. (Je le vois demain.)

- ***lo***, ***la*** peuvent être élidés devant voyelle mais on ne fait pas l'élision s'il peut y avoir une ambiguïté ;
__La__ aiutò, __lo__ aiutò. (Il l'aida.)

- ***lo*** peut avoir une valeur neutre et se référer à une phrase entière :
È arrivato. – Non __lo__ sapevo. (Il est arrivé. – Je ne le savais pas.)

Quand le sens est clair, l'italien l'élimine :
Si sapeva già. (On le savait déjà.)

b) Complément indirect

	Singulier	Pluriel
1re pers. 2e pers. 3e pers. Forme de politesse	***mi*** ***ti*** ***gli, le*** ***le***	***ci*** ***vi*** ***loro*** ***loro***
Pronoms neutres	***ci*** *(ou* ***vi****)* ***ne***	

__Mi__ parla. (Il me parle.)
__Le__ dirò. (Je lui dirai, à elle.)
__Ci__ penso. (J'y pense.)
__Ne__ faccio a meno. (Je m'en passe.)

En général, les pronoms atones se placent avant le verbe, comme en français, sauf à l'infinitif, au gérondif, à l'impératif et au participe (▷ voir page 58).

- ***loro***, qui est en fait un pronom tonique, se place toujours après le verbe :
Ho detto __loro__ di venire. (Je leur ai dit de venir.)

- À l'oral et en italien familier, ***loro*** est souvent remplacé par ***gli*** :
  *Li ho invitati e **gli** ho parlato di questo problema.*
  (Je les ai invités et je leur ai parlé de ce problème.)

- À l'écrit, toutefois, il est préférable de respecter la distinction :
  *Ho parlato **loro**.* (Je leur ai parlé.)
  ***Gli** ho parlato.* (Je lui ai parlé.) (à un homme)
  ***Le** ho parlato.* (Je lui ai parlé.) (à une femme)

« En » et « y » se traduisent respectivement par ***ne*** et ***ci*** (ou ***vi***) :
***Ne** parlerò domani.* (J'en parlerai demain.)
***Ne** dubito.* (J'en doute.)
*Non **ci** penso.* (Je n'y pense pas.)

Attention : ***Ci*** { = y → ***Ci** mette.* (Il **y** met.)
= nous → ***Ci** mette.* (Il **nous** met.)

C'est le contexte qui permet d'éliminer l'ambiguïté.

5. Les pronoms personnels groupés

- Devant un groupe de pronoms atones, le ***i*** de ***mi***, ***ti***, ***si***, ***ci*** et ***vi*** devient ***e*** devant ***lo***, ***la***, ***li***, ***le*** et ***ne***.

mi → ***me***
ti → ***te***
si → ***se*** } + ***lo, la, ne, li, le***
ci → ***ce***
vi → ***ve***

***Me ne** ricorderò.* (Je m'en souviendrai.)
***Ce li** hai mandati.* (Tu nous les as envoyés.)

- Le pronom ***gli*** suivi des pronoms ***lo***, ***la***, ***li***, ***le*** ou ***ne*** donne les formes suivantes :

gli + lo → ***glielo***
gli + la → ***gliela***
gli + ne → ***gliene***
gli + li → ***glieli***
gli + le → ***gliele***

Ces formes sont valables pour le masculin (***gli***) et le féminin (***le***) :
***Glielo** darò.* (Je le lui donnerai [à lui ou à elle].)
***Gliene** parlerò.* (Je lui en parlerai [à lui ou à elle].)

6. La place des pronoms atones

Dans certains cas, le pronom personnel direct ou indirect ainsi que les pronoms groupés et les pronoms réfléchis se placent après le verbe et se soudent à lui. On parle alors de **pronoms enclitiques**.

- **avec un infinitif :**

  *per dir**ti*** (pour te dire)
  *Pensavo di dir**velo**.* (Je pensais vous le dire.)

Avec quelques verbes comme ***dovere***, ***potere***, ***sapere*** et ***volere*** suivis d'un infinitif, le ou les pronoms se placent indifféremment avant le premier verbe ou soudés au deuxième (jamais entre les deux verbes comme en français) :

*Posso aiutar**ti** ?* ou ***Ti** posso aiutare ?* (Je peux t'aider ?)
*Voglio parlar**tene**.* ou ***Te ne** voglio parlare.* (Je veux t'en parler.)

Rappelons que l'accent tonique du verbe ne change pas de place.

Attention : ***loro*** suit toujours le verbe mais n'est jamais enclitique.

- **avec un gérondif :**

  *facendo**mi** vedere* (en me faisant voir)
  *prendendo**lo** in giro* (en se moquant de lui)

- **avec un participe passé** ayant généralement le sens temporel de « après avoir », « une fois que »... :

  *La lettera mandata**mi** da Lei non è arrivata.* (La lettre que vous m'avez envoyée n'est pas encore arrivée.)
  *Detto**gli** queste parole se ne andò.* (Après lui avoir dit ces mots il s'en alla.)

- **avec un impératif :**

  *Portate**mi** i libri.* (Apportez-moi les livres.)
  *Dite**glielo**.* (Dites-le-lui.)

– À l'impératif négatif, le pronom peut être placé devant le verbe ou après et soudé au verbe :

*Non **ti** muovere !* ou *Non muover**ti** !* (Ne bouge pas !)
*Non **glielo** dire !* ou *Non dir**glielo** !* (Ne le lui dis pas !)

– Avec les impératifs monosyllabiques, le pronom redouble sa consonne initiale sauf ***gli***. Ces impératifs sont ceux des verbes ***dare***, ***dire***, ***fare***, ***stare***, ***andare*** à la deuxième personne du singulier :

*Da**mmi** !* (Donne-moi !) *Di**mmi** !* (Dis-moi !) *Fa**mmi**... !* (Fais-moi... !)
*E Silvia ? – Di**lle** di venire !* (Et Silvia ? – Dis-lui de venir !)
*Sta**mmi** bene a sentire !* (Écoute-moi bien !) *Va**cci** !* (Vas-y !)

mais

*Marco ? – Di**gli** di venire !* (Marco ? – Dis-lui de venir !)

- avec l'adverbe ***ecco*** (voici, voilà) :

  *Ecco**mi** !* (Me voici !)
  *Ecco**lo*** (Le voilà !)

7. Les emplois particuliers du pronom atone

Le pronom atone qui se place avant le verbe peut remplacer :

- un pronom tonique après une locution prépositive indiquant le lieu :
  *Si è seduto **accanto a me** = **Mi** si è seduto **accanto**.*
  (Il s'est assis à côté de moi.)
  *È passato **davanti a lei** = **Le** è passato **davanti**.* (Il est passé devant elle.)

- un adjectif possessif (▷ voir page 46) :
  *Non **mi** parte la macchina.* (Ma voiture ne part pas.)
  ***Gli** tremavano le gambe.* (Ses jambes tremblaient.)

8. La troisième personne de politesse

En italien, le tutoiement est plus fréquent qu'en français (dans la publicité, entre collègues, l'auteur tutoie le lecteur, le professeur tutoie les élèves, etc.) ; ainsi le pronom ***voi*** correspond au pluriel de ***tu***. Pour traduire le « vous » français de politesse, on emploie le pronom sujet ***lei***, troisième personne féminin singulier, pluriel ***loro*** ; cette forme au pluriel est de moins en moins utilisée.

Lei**, **loro étant des pronoms de la 3e personne, rappelons que :

- le verbe est à la 3e personne, singulier ou pluriel. ***Lei*** sujet est souvent sous-entendu :
  Come sta ? (Comment allez-vous ?)
  Può entrare. (Vous pouvez entrer.)
  *Come **loro** sanno...* (Comme vous le savez...)

- l'impératif de politesse est la 3e personne du subjonctif présent :
  Venga ! (Venez !) *Salga !* (Montez !)
  Si accomodi ! (Asseyez-vous !)

- les pronoms compléments directs ou indirects sont ceux de la 3e personne féminin :
  *Signor Direttore, **la** stavo cercando.* (Monsieur le Directeur, je vous cherchais.)
  ***La** prego di scusarmi.* (Je vous prie de m'excuser.)
  ***Le** manderò tutto.* (Je vous enverrai tout.)

→ **N.B.** Dans les lettres commerciales, les pronoms sont souvent écrits avec l'initiale majuscule :
  *Ringraziando**La** fin da ora, **Le** porgo distinti saluti.*
  (En vous remerciant dès maintenant, je vous prie d'agréer...)

- le possessif est ***suo**, **sua**, **suoi**, **sue*** et ***loro*** :
  *Mi dia i **suoi** documenti.* (Donnez-moi vos papiers.)

Dans l'usage, bien que ***lei*** soit à l'origine une forme féminine, si la personne à qui l'on s'adresse est un homme, l'adjectif ou le participe passé s'accordent avec la personne :

*Signor Bianchi, **lei** è sicuro di venire ?* (M. Bianchi, êtes-vous sûr de venir ?)
*È stato accolt**o** bene ?* (Avez-vous été bien accueilli ?)

Au pluriel, ***loro*** peut être accordé au masculin ou au féminin selon les personnes :

***Loro** sono pregati (pregate) di uscire.* (Vous êtes prié(e)s de sortir.)

EXERCICES

❶ Mettre le pronom personnel sujet qui convient à la place des pointillés ou des prénoms entre parenthèses :

1. Alessio ha parlato anche ...
2. Sono contento quanto (Silvia).
3. Paolo, neanche ... è stato avvertito.
4. Volevo farlo ...
5. ... siamo piccoli ma cresceremo.
6. Sei preoccupato come (Marco).
7. ... sono andati via senza avvertire.
8. Io ne so quanto ne sai ...
9. Andrai in Grecia quest'anno ? Fortunato ... !
10. Nessuno era bravo quanto (Marco e Emmanuele).
11. Vorrei sapere da Carlo perché tutti sono d'accordo e ... no.
12. Li abbiamo invitati ed ... hanno risposto che verranno.
13. Sei stato ... ad insistere.
14. Poveri (Marco e Silvia) !

❷ Transformer selon le modèle :

Parlo a Francesco.
→ *Gli parlo.*

1. Vedo i miei amici domani.
2. Abbiamo parlato di questa nuova macchina.
3. Scrive tante lettere ai suoi genitori.
4. Hai visto il loro appartamento ?
5. Parlerò di questo progetto alla conferenza di domani.
6. Ha parlato alla direttrice ?
7. Aspetta l'autobus da un quarto d'ora.
8. Hai visto questa tela ?
9. Preparerai i documenti.
10. Darà l'esame a ottobre.
11. Racconta il suo viaggio ai bambini.
12. Marco non regala mai niente alla moglie.
13. Alessio va a Roma.
14. Hai pensato a prendere le medicine ?
15. L'ho già detto a questi stupidi !

❸ Traduire :

1. Il est parti avec elle.
2. Vous signerez pour lui.
3. Il a dit du mal de toi.
4. Elle essayait de me convaincre car sans moi..., c'était difficile.
5. Tous les soirs, il sort avec eux.
6. Il était assis à côté de moi.
7. Il regardait devant lui.
8. Nous irons au cinéma avec vous.
9. Il ne veut pas sortir avec elles.
10. Il a beaucoup fait pour moi.
11. Je compte sur toi.
12. Tu dois venir avec nous sans discuter.
13. C'est à moi qu'il l'a dit.
14. Elle veut toujours tout pour elle.
15. Il s'est adressé à elle.
16. Selon moi, il faut recommencer.
17. Ces deux amies ne pensent qu'à elles.
18. Il faut penser à soi quelquefois.

❹ Transformer selon le modèle :

Ti devi alzare.
→ *Alzati ! No, non alzarti ! No, non ti alzare !*

1. Lo devi prendere.
2. Lo devi fare.
3. Ci devi andare.
4. Lo devi dire.
5. Li devi comprare.
6. Ci devi pensare.
7. Ti devi allontanare.
8. Ti devi lavare.
9. Ti devi buttare.
10. Ti devi proteggere.

❺ Répondre et transformer selon le modèle :

Vi rivende la sua macchina ?
→ *Sì, ce la rivende.*

1. Ti occuperai di questi documenti ? Sì...
2. Gli porterai il bambino ? Sì...
3. Le fate ingrandire questa foto ? Sì...
4. Le parlerai di questo viaggio ? Sì...
5. Mi hai preso i biglietti ? Sì...
6. Ti sei pentito di questo sbaglio ? Sì...
7. Ci avete già spedito i prodotti ? Sì...

8. Mi lasci l'appartamento ? Sì...
9. Maria ti fa dei regali ? Sì...
10. Mi hai già detto la verità ? Sì...
11. Ci hai comprato i giornali ? Sì...
12. Ti mandano molte cartoline ? Sì...
13. Le hai dato del denaro ? Sì...

⑥ Transformer selon le modèle :

(A Marco) non parte la macchina.
→ *Non gli parte la macchina.*

1. È venuto vicino a te.
2. A Paola è morto il cane.
3. Ha ritirato i miei occhiali dall'ottico.
4. Ha preso la tua macchina.
5. A Sonia è andato male l'esame.
6. Il cane veniva dietro di me.
7. Ha riparato la tua radio.
8. Ha preparato i tuoi vestiti.
9. Ha prenotato i vostri posti per il 20 ottobre.

⑦ Employer la 3ᵉ personne de politesse à la place de *voi* :

Chiudete la porta, per favore !
→ *Chiuda la porta, per favore !*

1. Venite stasera alle otto !
2. Potete prenotare il vostro posto fin da ora.
3. Vi chiedo di farlo il più presto possibile.
4. Vi consiglierò, ma prima esaminerò tutti i vostri documenti.
5. Prendete l'ascensore e salite all'ottavo piano !
6. Come volete partire, Signori ? prendete l'aereo o il treno ?
7. Non fate discorsi senza capo né coda !
8. Vi consiglio il vino bianco.
9. Venite con me !
10. Andrò a prendervi alla stazione con i vostri amici.
11. Leggo questo libro, poi ve lo presto.
12. Mi rallegro dei vostri successi.
13. Ditemi la verità.
14. Vi posso assicurare che sono molto attaccato alla vostra famiglia.

⑧ Traduire en employant la forme de politesse (*Lei* ou *Loro*) :

1. Madame, entrez et asseyez-vous !
2. Prenez vos papiers et n'oubliez pas votre sac !
3. Attendez l'autobus n° 3, achetez un ticket chez le buraliste et compostez-le dans l'autobus.

4. Monsieur, vous êtes prié de laisser votre parapluie au vestiaire.
5. Faites le nécessaire et venez me voir ce soir.
6. Je vous appellerai demain.
7. Monsieur Casati, êtes-vous content de votre séjour ? Nous vous souhaitons de revenir.
8. Avez-vous pris vos affaires d'été ?
9. Revenez demain ! Il y aura des places pour vous, je vous le promets.
10. Je vous connais bien ; je sais que vous pouvez le faire.

❾ Compléter la recette avec les pronoms qui conviennent :

CAPONATA SICILIANA

Sbucciate le melanzane, tagliate ... a dadi, salate ..., mettete ... a scolare per mezz'ora tra due piatti inclinati, quindi lavate ... ed asciugate ... Fate ... dorare in una padella con un bicchiere d'olio, senza lasciar ... scurire. Nell'olio rimasto fate rinvenire i peperoni mondati e tagliati a cubetti, mescolando ... di tanto in tanto e scolando ... non appena cotti. A parte, fate imbiondire le cipolle affettate : non appena saranno diventate trasparenti, aggiungete del sedano tagliato a pezzetti e i pomodori scottati e privati dei semi. Poi unite le melanzane, i peperoni, i capperi, le olive, un po' di aceto, sale e pepe. Lasciate cuocere adagio per circa un quarto d'ora. Fate raffredare la caponata quindi mettete ... nel frigorifero per qualche ora. ... potete servire come antipasto.

Voir corrigés page 175.

11 Les relatifs

	Pronoms relatifs	
	invariable	variable
sujet	***che***	***il quale, la quale*** ***i quali, le quali***
complément direct	***che***	
complément indirect	préposition + ***cui***	préposition + ***il quale, la quale, i quali, le quali***

1. *Che*

Che est le pronom relatif italien le plus fréquent. Il peut être :

- sujet (français « qui ») :

  *Ho incontrato Daniela **che** mi ha parlato di te.*
  (J'ai rencontré Daniella qui m'a parlé de toi.)
  *Il film, **che** è già uscito in Francia, sarà presto in Italia.*
  (Le film, qui est déjà sorti en France, sera bientôt en Italie.)

- complément direct (français « que ») :

  *Leggo i libri **che** mi hai regalato.*
  (Je lis les livres que tu m'as offerts.)

- Dans la langue parlée, il peut remplacer le relatif ***in cui*** et avoir ainsi une valeur temporelle (▷ voir page 66) :

  *Ricordo il giorno **che** sei arrivato.*
  (Je me souviens du jour où tu es arrivé.)
  *Era l'anno **che** siamo andati in Francia.*
  (C'était l'année où nous sommes allés en France.)

- Il a un sens neutre lorsqu'il est précédé d'une préposition :

  Non c'è di che. (Il n'y a pas de quoi.)
  *Salutò, dopo **di che** se ne andò.*
  (Il salua, après quoi il s'en alla.)

- Il peut remplacer toute une proposition : en ce cas il est précédé de ***il*** ou de la préposition ***di*** *(il che, del che)* et équivaut au français « ce qui », « ce que », « ce dont » :

  *Voglio smettere di fumare, **il che** non è facile.*
  (Je veux arrêter de fumer, ce qui n'est pas facile.)

Ciò che ne serait pas correct ici (▷ voir page 50) :

*Sono stato maleducato, **del che** ti chiedo scusa.*
(J'ai été mal élevé, ce dont je te demande pardon.)

2. *Il quale, la quale, i quali, le quali*

Il quale est le pronom le plus clair car il précise le genre et le nombre. On peut l'employer :

- comme sujet, lorsque ***che*** serait trop imprécis, par exemple quand le relatif est loin de l'antécédent :

  *La figlia di Stefano, **la quale** arriverà domani, ha telefonato.*
  (La fille de Stefano, laquelle arrivera demain, a téléphoné.)

- comme complément indirect précédé d'une préposition ; en ce cas il équivaut à ***cui*** précédé d'une préposition (▷ voir ci-dessous) :

  Ho incontrato tua sorella ***alla quale*** *ho dato il pacco.*
  (J'ai rencontré ta sœur à qui j'ai donné le paquet.)
  Le persone, ***con le quali*** *ho viaggiato, erano molto simpatiche.*
  (Les personnes avec qui j'ai voyagé étaient très sympathiques.)
  Molte persone ho incontrato durante l'estate, ***le quali*** *mi hanno aiutato molto.*
  (J'ai rencontré beaucoup de personnes pendant l'été, lesquelles m'ont beaucoup aidé.)

3. *Cui*

Cui n'est jamais sujet ni complément direct, et ne peut remplacer ***che***. Il est invariable. On peut l'employer :

- comme complément indirect, précédé d'une préposition : ***a*** (cette dernière pouvant être supprimée), ***con***, ***di***, ***da***, ***in***, ***per*** et ***su*** (▷ voir *il quale*, page 64) :

  Il dentista ***a cui*** *mi sono rivolto ha lo studio in via Roma.*
  (Le dentiste auquel je me suis adressé a son cabinet rue de Rome.)
  Ecco le ragioni ***per cui*** *l'abbiamo fatto venire.*
  (Voilà les raisons pour lesquelles nous vous avons fait venir.)

- pour la traduction de « dont » :

  – « dont », complément d'adjectif ou de verbe se traduit par ***di cui*** ou ***del quale***, ***della quale*** (▷ voir ci-dessus) :

  Il libro ***di cui*** *ti ho parlato è stato pubblicato recentemente.*
  (Le livre dont je t'ai parlé a été publié récemment.)

  – « dont », complément de nom (« dont le... », « dont la... », etc.) se traduit par ***cui***, précédé de l'article défini se rapportant au nom :

  È un'attrice francese, ***il cui*** *nome mi sfugge.*
  (C'est une actrice française dont le nom m'échappe.)
  Ecco Sonia ***la cui*** *madre è tedesca.*
  (Voici Sonia dont la mère est allemande.)

- « dont » complément d'une expression de quantité (« parmi lesquels... ») se traduit par ***tra cui/tra i quali***, ***tra le quali***...

  Ci sono molti cani ***tra cui*** *un pastore tedesco.*
  (Il y a beaucoup de chiens dont un berger allemand.)
  Molti erano arrivati, ***tra cui*** *suo padre.*
  (Beaucoup étaient arrivés, dont son père.)

- « dont » indiquant la manière : ***in cui***, ***nel quale***...

  Apprezzo molto il modo ***in cui*** *Elsa si veste.*
  (J'apprécie beaucoup la façon dont Elsa s'habille.)
  Hai visto il modo ***in cui*** *guida ?*
  (Tu as vu la façon dont il conduit ?)

- pour rendre le français « de qui », « duquel » : préposition + article + ***cui*** :
  *Il fiume **sulle cui** acque scivolano le barche è molto inquinato.*
  (Le fleuve sur les eaux duquel glissent les barques est très pollué.)

ou bien :
  *Il fiume **sulle** acque **del quale**...*

4. La traduction du relatif « où »

- Le lieu : ***in cui, nel quale, nella quale..., dove*** :

La città { ***in cui*** / ***nella quale*** / ***dove*** } *hanno girato questo film è conosciutissima.*
(La ville où ils ont tourné ce film est très connue.)

- Le lieu d'origine : ***da cui***, ***dal quale***, ***dalla quale***... (français « dont », « d'où ») :
  *La famiglia **da cui** proviene è molto semplice.*
  (La famille dont il provient est très simple.)
  Il paese { ***da cui*** / ***dal quale*** } *vengo...* (Le pays d'où je viens...)

- Le temps : ***in cui***, ***nel quale*** (***nella quale***), parfois ***che*** mais jamais ***dove*** :
  *Ho cominciato a lavorare l'anno **in cui** mi sono sposata.*
  (J'ai commencé à travailler l'année où je me suis mariée.)
  *Ti ricordi del giorno **che** ci siamo incontrati ?*
  (Tu te souviens du jour où nous nous sommes rencontrés ?) (▷ voir page 64)

5. *Chi*

C'est un pronom double : un relatif qui a la fonction d'un démonstratif (« celui qui ») ou d'un indéfini (« quiconque »). Il n'a pas d'antécédent et il ne s'emploie que pour les personnes :
  *Chiedilo a **chi** era presente alla riunione.*
  (Demande-le à qui était présent à la réunion.)

- ***chi*** répété (***chi... chi***) a le sens de « les uns... les autres », « quelques-uns », « d'autres » :
  ***Chi** preferisce la macchina, **chi** il treno, **chi** l'aereo.*
  (Quelques-uns préfèrent la voiture, d'autres le train, d'autres encore l'avion.)

- ***chi*** suivi du subjonctif a la valeur hypothétique de « si quelqu'un » :
  ***Chi** volesse iscriversi potrebbe ancora farlo.*
  (Si quelqu'un voulait s'inscrire, il pourrait encore le faire.)

EXERCICES

❶ Employer le relatif qui convient dans les phrases suivantes :

1. Ho incontrato Michele ... mi ha parlato di te.
2. Le consiglio di vedere questo film ... è molto divertente.
3. Ho comprato il disco ... mi avevi parlato.
4. Abito in una vecchia casa ... finestre danno su un giardino.
5. Il libro ... Giulia cerca è esaurito.
6. Vuole dimagrire ancora, ... è difficile.
7. Voglio farvi vedere le fotografie ... ho fatto l'estate scorsa.
8. Ci sono molte macchine ... rumore mi sveglia di notte.
9. L'aereo ... Emanuela è partita, ha avuto due ore di ritardo.
10. In questa classe, ci sono molti stranieri ... due cileni.
11. Il mese di settembre è il mese ... andiamo sempre in villeggiatura.
12. ... dorme non piglia pesci.
13. Fu danneggiato da ... aveva aiutato.
14. Alberto, ... ipocrisia è famosa, finge di non sapere niente.
15. Non sarà facile uscire dal pasticcio ... ti sei messo.
16. Le spiego le ragioni ... non aveva potuto accontentarla.
17. Fammi parlare con ... ti ha raccontato tutto ciò.
18. Sono fiori ... profumo è intenso.
19. Ho capito che parlavo con persone ... era meglio non dire nulla.
20. Non c'è più l'albergo ... siamo andati due anni fa.
21. Abita in una piazza ... non ricordo il nome.
22. Ci sono delle persone ... l'inverno è terribile.
23. Ho avuto un piccolo incidente ... mi ha fatto perdere tempo.
24. Voglio uscire con ... mi pare.
25. È un bambino ... non vorrei occuparmi.
26. Vorrei due caffè ... uno macchiato.

❷ Traduire :

1. C'est un film dont votre frère m'a déjà parlé.
2. Il chante faux, ce qui la met toujours en colère.
3. Sa mère, dont la retraite n'est pas très élevée, dépense trop d'argent.
4. C'est une chanson dont on parlera encore dans dix ans.
5. C'est un tableau dont j'aurais envie.
6. Nous nous sommes adressés à une agence pour les renseignements dont nous avions besoin.
7. Léonard de Vinci, dont les œuvres sont très célèbres, est mort à Amboise.
8. Mon ami, pour la santé duquel sa famille a consulté beaucoup de médecins, a été opéré hier.
9. L'ennui est une maladie dont le seul remède est le travail.
10. L'équipe, dont tu connais tous les membres, a été qualifiée.
11. Cette émission, dont le présentateur est antipathique, ne présente aucun intérêt.
12. Les programmes sportifs, à la transmission desquels j'assiste toujours, me plaisent beaucoup.

13. C'est l'idéal auquel tend ce parti !
14. C'est un service dont les employés sont très aimables.
15. Voici l'usine dont les déchets polluent le fleuve.
16. Le projet, pour la réussite duquel bien des personnes se sont donné de la peine, est très important.

❸ Former une phrase complète et cohérente en choisissant un début et une fin de phrase dans chaque colonne.

1. Mi è arrivata una lettera
2. Allo zoo ci sono animali
3. Legge lo stesso giornale
4. C'è un negozio in via Verdi
5. È l'ultimo prezzo
6. Va in onda un servizio
7. L'Onorevole ha scritto un articolo
8. Ho mandato un'e-mail
9. Ho visto dei quadri
10. È la ragione

A. che legge mio padre.
B. a cui siamo arrivati.
C. per cui siamo in ritardo.
D. il cui contenuto era molto polemico.
E. nella quale ti indicavo l'ora del mio arrivo.
F. per i quali non spenderei niente.
G. che aspettavo da tanto tempo.
H. in cui vendono scarpe molto belle.
I. che soffrono molto.
J. a cui hanno collaborato molte televisioni straniere.

Voir corrigés page 176.

12 Les interrogatifs

1. Les adjectifs interrogatifs

Ils servent à demander la qualité, l'identité ou la quantité du nom auquel ils se rapportent.

- ***che***, invariable, est très courant dans la langue parlée :
  ***Che** giorno libero hai scelto ?* (Quel jour libre as-tu choisi ?)
  ***Che** ore sono ?* (Quelle heure est-il ?)

- ***quale***, ***quali***, moins employé que ***che*** :
  *A **quale** piscina si è iscritta ?* (À quelle piscine vous êtes-vous inscrite ?)
  ***Quali** posti hai prenotato ?* (Quelles places as-tu louées ?)

→ **N.B.** Devant voyelle il y a apocope du ***e*** (et non pas élision) :
***Qual** è la stagione che preferisci ?* (Quelle saison préfères-tu ?)

- ***quanto, -a, -i, -e*** sert à demander la quantité :
  Quanti *biglietti hai preso ?* (Combien de billets as-tu pris ?)
  Quanti *anni hai ?* (Quel âge as-tu ?)

2. Les pronoms interrogatifs

Ils peuvent être sujets ou compléments.

- ***chi*** n'est employé que pour les personnes comme le « qui » interrogatif français :
  Chi *sei ?* (Qui es-tu ?)
  Chi *viene stasera ?* (Qui vient ce soir ?)
  Di ***chi*** *parlavi ?* (De qui parlais-tu ?)

Interrogation indirecte :
Mi domando ***chi*** *abbia potuto dirti questo.*
(Je me demande qui a bien pu te dire ça.)

- ***che***, ***che cosa***, ***cosa*** uniquement employés pour les choses :
  Che *vuoi ? ;* ***(Che) cosa*** *vuoi ?* (Qu'est-ce que tu veux ?)
  A ***che cosa*** *pensi ?* (À quoi penses-tu ?)

Interrogation indirecte :
Mi domando ***che cosa*** *si possa fare.*
(Je me demande ce qu'on peut faire.)

- ***quale***, ***quali*** sert à demander la qualité ou l'identité, il est employé pour les personnes et pour les choses :
  Di questi libri, ***quale*** *preferisci ?*
  (De ces livres, lequel préfères-tu ?)
  Quale *delle tue amiche non è venuta ?*
  (Laquelle de tes amies n'est pas venue ?)

Interrogation indirecte :
Non so su ***quale*** *dei due tu possa contare.*
(Je ne sais pas sur lequel des deux tu peux compter.)

- ***quanto***, ***-a***, ***quanti***, ***-e*** sert à demander la quantité, il est employé pour les personnes et pour les choses :
  In quanti *eravate ?* (Combien de personnes étiez-vous ?) (▷ voir page 73)
  Vorrei delle paste. – ***Quante ?*** (Je voudrais des gâteaux. – Combien ?)

Attention : Quand ***quanto*** est adverbe il est, bien sûr, invariable :
Quest'appartamento, ***quanto*** *costa ?*
(Cet appartement, combien coûte-t-il ?)
Questi appartamenti, ***quanto*** *costano ?*
(Ces appartements, combien coûtent-ils ?)

3. L'interrogation indirecte

Elle est introduite par les pronoms énumérés ci-dessus ou par les conjonctions ***quanto***, ***perché***, ***se***, ***come***, etc. :

*Non so **quali** scegliere.* (Je ne sais pas lesquels choisir.)
*Non so **che cosa** vuoi.* (Je ne sais pas ce que tu veux.)

Le verbe de la subordonnée est à l'indicatif, au conditionnel ou au subjonctif ; il est le plus souvent au subjonctif car l'idée exprimée est l'incertitude, le doute (▷ voir page 160) :

*Non so che tempo **abbia** fatto in Sicilia.* (Je ne sais pas quel temps il a fait en Sicile.)
*Si domandava che cosa **fosse** successo.* (Il se demandait ce qui était arrivé.)

EXERCICES

❶ Compléter les phrases suivantes avec l'adjectif ou le pronom interrogatif qui convient :

1. ... si presenterà alle elezioni ?
2. La gita sarà a Volterra. ... di voi verranno ?
3. ... pensi di questo libro ?
4. Vorrei delle mele. – ...?
5. A ... ora parte il treno per Milano ?
6. ... è la classe meno numerosa ?
7. ... dei due preferisci ?
8. Parto per l'Italia. Con ... ?
9. Non vuole mai dire ... anni ha.
10. Dimmi a ... pensi.
11. ... sono le sue qualità ?
12. Non so con ... sia partita.
13. È venuto con il treno. Ma ... ?
14. Non so ... strada prenderò per andare laggiù.
15. Per la gita saremo in quaranta. ... mangeranno al ristorante ?
16. ... è il fine di questo progetto ?
17. ... senso ha tutto questo ?
18. Per cena, dimmi ... vuoi.

❷ Traduire :

1. Je me demande pourquoi il n'est pas arrivé.
2. Je ne savais pas quel jour tu partirais.
3. Ils ne savent pas ce qu'ils veulent.
4. Je me demande qui le lui a dit.
5. Je ne sais plus où est la vérité.
6. Dis-moi quelle est la raison de tout cela.
7. En quoi puis-je vous être utile ?
8. A quelle heure vas-tu au cinéma ?

Voir corrigés page 176.

13 Les exclamatifs

La phrase exclamative

Les adjectifs interrogatifs ***che***, ***quale***, ***quanto, -i, -a, -e*** servent à introduire une phrase exclamative. Attention à l'intonation qui est différente.
Pour traduire le français « quel » + nom :

- ***che*** / ***quale*** } + nom

(***quale*** est de moins en moins employé).

Che *caldo !* (Quelle chaleur !)
Che *attore !* (Quel acteur !)

L'usage fait suivre ***che*** d'un adjectif sans substantif ; cet emploi est condamné, mais il est très courant dans la langue parlée :

Che *bello !* (Que c'est beau !)
Che *simpatico !* (Qu'il est sympathique !)

- ***quanto, -i, -a, -e*** pour traduire le français « que de » :

Quanta *gente ieri sera allo stadio !* (Que de monde hier soir au stade !)
Quante *riunioni in questo periodo !* (Que de réunions en cette période !)

On trouve encore ***come*** ou ***quanto*** + verbe pour traduire « que » + verbe. Dans ce cas ***quanto*** est un adverbe, il est donc invariable :

Come *sono contenta !* (Que je suis contente !)
Quanto *sei stupida ! ;* ***Come*** *sei stupida !* (Que tu es bête !)

EXERCICE

Transformer les affirmations suivantes en phrases exclamatives :

1. È una noia andare da loro.
2. Ci siamo divertiti a casa tua.
3. C'erano molte persone al cinema.
4. È un ragazzo timido.
5. È un caldo terribile.
6. Abbiamo mangiato molto.
7. Hai fatto molti chilometri.
8. Sono contenta di vederti.
9. È una macchina veloce.
10. È un professore esigente.
11. È una sorpresa vederti.
12. ... resistenza aveva !

Voir corrigés page 176.

14 L'interjection

1. L'interjection

C'est un mot qui sert à exprimer un sentiment : joie, douleur, dépit, impatience, surprise ou menace. On trouve des interjections proprement dites du type ***ah ! oh ! ahi !*** (« aïe ! ») ***eh !***, ainsi que des adjectifs accordés en genre et en nombre, des noms, des formes verbales et des adverbes.

accidenti ! (zut !)
animo ! (allons !)
forza ! su ! (allons !)
coraggio ! (courage !)
aiuto ! (au secours !)
magari ! (si seulement !)
diamine ! (bien sûr !)
come no ! (bien sûr !)
guai ! (gare !)
basta ! (ça suffit !)
figurati ! (tu parles !)
evviva ! (Vive !)
zitto ! (chut ! [à un homme])
zitta ! (chut ! [à une femme])
zitti ! (taisez-vous ! [garçons])
zitte ! (taisez-vous ! [filles])
macché ! (mais non ! allons donc !)
dio mio ! (mon Dieu !)
mamma mia ! (mon Dieu !)
ahimé ! (hélas !)
ohimé ! (hélas !)
pazienza ! (tant pis !)
peggio per lui ! (tant pis pour lui !)
peccato ! (dommage !)
purtroppo ! (malheureusement !, hélas !)
presto ! (vite !)
piano ! (doucement !)
per carità ! (de grâce !)
bravo ! (bravo !, c'est bien ! [à un homme])
brava ! (bravo !, c'est bien ! [à une femme])
attento ! (attention ! [à un homme])
attenta ! (attention ! [à une femme])
voce ! (parlez plus fort !)
altroché ! (je crois bien, tu parles, bien sûr)

2. Les onomatopées

On peut rapprocher les onomatopées des interjections.

tic-tac (tic-tac)
din-don (ding-dong)
tonfete (patatrac)
zac (vlan)
zacchete (paf !)
eccì (atchoum)
miao (miaou)
bau bau (oua-oua)
chicchirichì (cocorico)
paffete (pouf, vlan)

15 Les nombres

1. Les adjectifs numéraux cardinaux

1 ***uno***	11 ***undici***	21 ***ventuno***	40 ***quaranta***
2 ***due***	12 ***dodici***	22 ***ventidue***	50 ***cinquanta***
3 ***tre***	13 ***tredici***	23 ***ventitré***	60 ***sessanta***
4 ***quattro***	14 ***quattordici***	24 ***ventiquattro***	70 ***settanta***
5 ***cinque***	15 ***quindici***	25 ***venticinque***	80 ***ottanta***
6 ***sei***	16 ***sedici***	26 ***ventisei***	90 ***novanta***
7 ***sette***	17 ***diciassette***	27 ***ventisette***	100 ***cento***
8 ***otto***	18 ***diciotto***	28 ***ventotto***	101 ***centouno***
9 ***nove***	19 ***diciannove***	29 ***ventinove***	200 ***duecento***
10 ***dieci***	20 ***venti***	30 ***trenta***	
1000 ***mille***	2000 ***duemila...***	***un milione***	***un miliardo***

- Les adjectifs numéraux cardinaux sont invariables sauf : *uno zer**o**, degli zer**i** ; mill**e**, duemil**a** ; un milion**e**, due milion**i** ; un miliard**o**, due miliard**i*** et ***uno*** qui varie en genre.

- ***Uno*** (***una***) suit les règles de l'article indéfini :
    un tavolo ; una sedia ; un'arancia.

Les composés de ***uno*** (***ventuno***, ***trentuno***, etc.) s'accordent en genre s'ils suivent le nom, dans la langue commerciale ou administrative :
    *una donna di anni quarantun**o**.* (une femme de quarante et un ans.)

L'usage tend à employer la forme apocopée (***ventun***, ***trentun***, etc.) qui est valable pour le masculin et le féminin, qui précède le nom :
    *Marco ha **ventun** anni.* (Marc a vingt et un ans.)
    *È rimasto **trentun** giorni e **trentun** notti sotto terra.*
    (Il est resté trente et un jours et trente et une nuits sous terre.)

→ **N.B.** On trouve avec ***cento*** et ***mille*** :
    *mille **e** una notte* (mille et une nuits)
    *cento **e** un giorno* (cent et un jours)

- Avec ***uno*** et ***otto***, il y a chute de la voyelle finale des dizaines à partir de ***venti***.
    ventuno, ventotto... sessantotto

- Les composés qui finissent par ***-tre*** doivent être accentués. On écrit donc ***tre*** sans accent mais ***ventitré***, ***trentatré***, etc.

- On écrit les nombres généralement groupés par tranches de trois chiffres :
  trecentoquarantamila duecentotrentadue
  (trois cent quarante mille deux cent trente-deux)

Constructions particulières

- Le numéral se place après un adjectif ordinal ou un pronom :
  i ***primi due*** (les deux premiers)
  gli ***altri due*** (les deux autres)
  gli ***ultimi tre*** *giorni* (les trois derniers jours)

- ***in*** + adj. numéral cardinal indique un groupe de personnes, une réunion qui n'est pas due au hasard :
  Siamo ***in*** *due.* (Nous sommes deux.)
  Saremo ***in*** *trentadue.* (Nous serons trente-deux.)

Il existe la même construction avec les pronoms indéfinis, ***tanti***, ***molti***, ***pochi***, ***troppi*** et l'interrogatif ***quanti*** (▷ voir page 69) :
  In *quanti eravate ?* (Combien étiez-vous ?)
  Eravamo ***in*** *tanti.* (Nous étions très nombreux.)

- On met généralement l'article défini devant le nombre indiquant un pourcentage, et toujours devant les années :
  una riduzione ***del*** *30 %*
  (une réduction de 30 %)
  Il 60 % degli elettori ha votato.
  (60 % des électeurs ont voté.)
  È nato ***nel*** *1956.*
  (Il est né en 1956.)
  Il *1968 fu l'anno della contestazione studentesca.*
  (1968 fut l'année de la contestation étudiante.)

2. Les adjectifs numéraux ordinaux

1er	***primo***	11^{e}	***undicesimo***
2^{e}	***secondo***	12^{e}	***dodicesimo***
3^{e}	***terzo***	13^{e}	***tredicesimo***
4^{e}	***quarto***	etc.	
5^{e}	***quinto***	20^{e}	***ventesimo***
6^{e}	***sesto***	21^{e}	***ventunesimo***
7^{e}	***ottavo***	23^{e}	***ventitreesimo***
9^{e}	***nono***	100^{e}	***centesimo***
10^{e}	***decimo***	etc.	

- À partir de 11, on forme les ordinaux en ajoutant le suffixe ***-esimo*** au nombre cardinal correspondant qui perd sa voyelle finale, sauf si elle est accentuée :

  trenta → *tren**te**simo* mais ***trentatré*** → *trentat**ree**simo*

- Les ordinaux s'accordent en genre et en nombre avec le substantif :

  *È arrivat**a** undicesim**a**.* (Elle est arrivée onzième.)

- On les emploie pour indiquer l'ordre ou la succession des souverains, des papes, pour désigner les chapitres, les paragraphes, les volumes, les actes et les scènes :

  *Atto **terzo*** (Acte III), *Paolo VI* (lisez : *Paolo **Sesto***) (Paul VI)

- Comme en français, on emploie les ordinaux pour désigner les siècles :

  il secolo XVIII (le XVIIIe siècle)

Il existe une autre façon de désigner les siècles à partir du XIIIe siècle jusqu'au XXe siècle, lorsqu'il s'agit d'art, de littérature ou d'histoire : on utilise le nombre des centaines, lequel est substantivé et s'écrit avec une majuscule :

il Duecento, nel Duecento (le XIIIe siècle, 1200-1299, au XIIIe siècle)
il Quattrocento (le XVe siècle, 1400-1499)

mais

il secolo XII (dodicesimo) (le XIIe siècle)

et

il XXI (ventunesimo) secolo (le XXIe siècle)

3. Les fractions

Les adjectifs numéraux ordinaux servent à former les fractions : 1/3 ***un terzo***, 2/3 ***due terzi***, 1/4 ***un quarto***, 1/10 ***un decimo***.
mais on dit :

1/2 ***un mezzo, la metà*** (la moitié).

- Emploi de ***mezzo***

– Lorsque ***mezzo*** précède le nom, il s'accorde avec celui-ci :
*un **mezzo** litro* (un demi-litre)
*una **mezza** porzione* (une demi-portion)
*due **mezzi** litri* (deux demi-litres)

– Quand il suit le nom il reste invariable :
*due litri e **mezzo*** (deux litres et demi)
*un'ora e **mezzo*** (une heure et demie)

– Il peut être employé comme adverbe, en ce cas il est invariable :
*La bambina era **mezzo** svestita.* (La petite fille était à demi déshabillée.)

4. Les collectifs distributifs et multiplicatifs

a) Les distributifs

Ce sont des locutions telles que :

ad uno ad uno (un à un)
a due a due (deux à deux)
uno per uno (un par un)
uno { *per volta* / *alla volta* } (un à la fois)
ogni sei mesi (tous les six mois)...

b) Les collectifs

- les substantifs : ***un paio*** (une paire, deux), ***una coppia*** (deux), ***una diecina*** (une dizaine), ***una dozzina*** (une douzaine), ***un centinaio*** (une centaine), ***un migliaio*** (un millier). (Pour le pluriel ▷ voir page 23) :

  una coppia *d'uova* (deux œufs)
  Ce ne sono ***centinaia***. (Il y en a des centaines.)

Certains indiquent une quantité approximative :

un uomo di ***una trentina*** *d'anni*
(un homme d'une trentaine d'années)

Pour indiquer l'approximation, on peut employer également la préposition ***su*** suivie de l'article défini et du nom :

un uomo ***sui*** *cinquant'anni*
(un homme d'environ cinquante ans)

- les adjectifs et pronoms : ***ambedue***, qui est valable pour le féminin et le masculin, et ***entrambi***, féminin ***entrambe*** (l'un et l'autre, les deux) :

  ambedue *le sorelle* (les deux sœurs)
  entrambe *le mani* (les deux mains)
  Sono venuti { ***entrambi.*** / ***ambedue.*** } (Ils sont venus tous les deux.)

On peut dire également ***tutti e due*** ou ***tutt'e due*** (tous les deux), ***tutte e due*** ou ***tutt'e due*** (toutes les deux).

c) Les multiplicatifs

- ***doppio*** et les adjectifs en ***-plo*** : ***triplo***, ***quadruplo***, ***centuplo***, indiquent une quantité deux, trois, ... fois supérieure à une autre :

  un caffè ***doppio*** (un double café)

- les adjectifs en ***-plice*** : ***duplice***, ***triplice***... dont le sens ne coïncide pas tout à fait avec celui de ***doppio***, ***triplo*** ; ils indiquent une chose composée de deux, trois, plusieurs parties qui ne sont pas nécessairement égales :

  La ***Triplice*** *Alleanza* (La Triple Alliance)

Remarque

Au lieu de ***quintuplo, sestuplo...***, on préfère les expressions comme ***cinque volte maggiore, sei volte maggiore*** :

La popolazione di questa città è ***venti volte maggiore*** *di quella che era nell'immediato dopoguerra.*

(La population de cette ville est vingt fois supérieure à ce qu'elle était dans l'immédiat après-guerre.)

5. L'âge

- Pour demander l'âge on emploie l'adjectif interrogatif ***quanto*** :

Quanti *anni hai ?* (Quel âge as-tu ?)

On répond, comme en français, avec l'adjectif cardinal :

Ho vent'anni. (J'ai vingt ans.)

- Les nombres à partir de ***undici*** et le suffixe ***-enne*** servent à former des adjectifs indiquant l'âge :

una ragazza ***ventenne***

(une jeune fille de vingt ans)

Ils peuvent être substantivés :

i sessantenni

(les personnes âgées de soixante ans)

Rappelons l'emploi de l'article avec l'année :

È nato ***nel*** *1970.* (Il est né en 1970.)

On peut abréger :

nel '70, nell '80

6. La date

Pour demander le quantième du mois, on emploie l'interrogatif ***quanto*** au pluriel et le verbe ***avere*** à la 1re personne du pluriel :

Quanti *ne abbiamo oggi ?*

(Le combien sommes-nous ?)

La réponse est :

(Ne abbiamo) venti. (sans article) ;

Oggi è ***il*** *venti.* (avec article) (C'est le vingt.)

→ **N.B.** On doit toujours dire :

(È) ***il*** *primo.* (avec l'article) (C'est le premier.)

7. L'heure

- On emploie le féminin pluriel pour demander l'heure :
  *Che **ore** sono ?* (Quelle heure est-il ?)

– La réponse est généralement au pluriel, avec l'article défini féminin pluriel précédant le cardinal :

*Sono **le** otto.* (Il est huit heures.)
***le** undici* (onze heures)
***Le** otto e cinque, **le** otto e un quarto, **le** otto e mezzo*
(huit heures cinq, huit heures et quart, huit heures et demie)

Puis, d'une façon familière :

***le** nove meno venti ; venti **alle** nove*
(neuf heures moins vingt)

– La réponse est au singulier dans les cas suivants :

È mezzogiorno. (Il est midi.)
È mezzanotte. (Il est minuit.)
È l'una. (en Toscane : *È il tocco*). (Il est une heure.)
È la mezza. (Il est la demie.)

EXERCICES

❶ Écrire en toutes lettres les nombres suivants :

1. Il 1987 sarà una data importante per lei.
2. 268.323 euro.
3. 87.778.
4. Dante nacque nel 1265 e morì nel 1321.
5. Nel 1985 c'erano 220.000 abitanti in questa città.
6. Un deficit di 946.999 euro.
7. Voleva cambiare 21 dollari.

❷ Compléter par un adjectif cardinal ou ordinal ou par une fraction (en toutes lettres) :

1. Ha una 13ª e una 14ª mensilità.
2. Il Verga viveva nel XIX secolo.
3. Abbiamo eliminato i 2/3 dei concorrenti.
4. Un grammo è la 1/1000 parte del chilogrammo.
5. Vorrebbe un cappotto 7/8.
6. È arrivato 43°.
7. Giovanni XXIII fu molto amato dagli Italiani.

❸ **Écrire en toutes lettres l'heure indiquée sur les pendules suivantes :**

❹ **Traduire :**

1. Il est interdit de stationner des deux côtés.
2. Elle est arrivée douzième.
3. Le roman a été le grand genre littéraire du XIXe siècle.
4. Je voudrais deux litres et demi de lait.
5. J'arrive dans une demi-heure.
6. Il va chez le dentiste tous les deux mois.
7. Je resterai deux jours à Venise.
8. C'est un homme de trente ans environ.
9. Son père est né en 1938.
10. Il devait venir à midi ou à une heure.
11. J'ai eu une remise de 15 %.
12. Il a fait très chaud ces deux derniers jours.
13. Vous étiez combien hier soir ? – Nous étions dix.
14. Les trois premiers sont arrivés à 14 heures et les trois derniers à 15 heures.
15. L'acte II était très ennuyeux, n'est-ce pas ?
16. Selon moi, c'était l'acte III.
17. Quel âge as-tu ? – J'ai dix-huit ans.
18. Donnez-moi un litre et demi de jus de fruit et une demi-bouteille de vin.
19. Nous sommes au XXIe siècle.
20. Au XXe siècle il y a eu beaucoup de découvertes.
21. Il change de voiture tous les trois ans.
22. Il y aurait des centaines de sans-abri.
23. Le XVe siècle est le siècle des grands artistes.
24. Les personnes âgées de soixante ans sont de plus en plus nombreuses.

❺ Écrire en toutes lettres les nombres suivants :

1. L'anno 2002.
2. 19.974.
3. 20 squadre e 68 candidati.
4. 3.225 partecipanti alla maratona.
5. Una riduzione del 25 %.
6. Un uomo di 93 anni e una donna di 56 anni.
7. Un investimento di 46.342 euro.
8. Una galleria di 976 metri.

Voir corrigés page 176.

16 Les indéfinis

■ Principaux adjectifs

alcuno, -a, -i, -e (quelque)	***poco, -a, pochi, -e*** (peu de)
altrettanto, -a, -i, -e (autant de)	***qualche*** (inv.) (quelque, quelques)
altro, -a, -i, -e (autre)	***qualsiasi*** (n'importe quel)
certo, -a, -i, -e (certain)	***qualunque*** (quelconque)
molto, -a, -i, -e (beaucoup de)	***tale, tali*** (tel)
nessuno, -a (aucun)	***tanto, -a, -i, -e*** (tant de, beaucoup de)
ogni (inv.) (chaque)	***troppo, -a, -i, -e*** (trop de)
parecchio, -a, -i, -e (beaucoup, plusieurs,	***tutto, -a, -i, -e*** (tout)
più pas mal de)	***vario, -a, vari, -e*** (différents, plusieurs)

- ***stesso, medesimo*** (« même ») ont été traités dans le chapitre des démonstratifs (▷ voir page 51).

- Pour l'apocope et l'élision de certains adjectifs : ▷ voir page 27.

■ Principaux pronoms

chi (qui, quiconque)	***niente, nulla*** (rien)
chiunque (quiconque, n'importe qui)	***qualcosa*** (quelque chose)
ciascuno, -a } (chacun)	***qualcuno, -a*** (quelqu'un)
ognuno, -a } (chacun)	***uno, una*** (un, une)
nessuno, -a (personne)	***gli uni, gli altri*** (les uns, les autres)

Pour ***chi*** relatif et indéfini : ▷ voir page 66.

1. Les adjectifs indéfinis

a) ***Ogni*** (invariable)
Il est toujours suivi d'un nom au singulier :
ogni *giorno* (chaque jour, tous les jours)

Il a valeur distributive quand il est suivi d'un numéral :
ogni *due giorni* (tous les deux jours)
L'autobus passa ***ogni*** *mezz'ora.* (L'autobus passe toutes les demi-heures.)

→ **N.B.** *Ognissanti* (La Toussaint).
L'adjectif ***ciascuno, -a*** a le même sens que ***ogni*** mais il est moins employé :
ciascun*'ora* (chaque heure)

b) ***Qualche*** (invariable)
Il est toujours suivi d'un nom au singulier mais peut exprimer la pluralité :
Sono rimasto ***qualche*** *giorno a Torino.* (Je suis resté quelques jours à Turin.)

c) ***Qualunque***, ***qualsiasi*** (invariables)
Vieni a { ***qualunque*** / ***qualsiasi*** } *ora.* (Viens à n'importe quelle heure.)

- ***qualunque*** peut être précédé d'un article indéfini :
una ***qualunque*** *risposta* (une réponse quelconque)

Il peut être employé dans les subordonnées de concession et est suivi du subjonctif :
Qualunque *consiglio gli* ***diate****, farà sempre di testa sua.*
(Quelque conseil que vous lui donniez, il n'en fera qu'à sa tête.)

- ***qualsiasi*** a le même sens que ***qualunque*** :
in ***qualsiasi*** *momento* (à n'importe quel moment)

S'il est employé avec un substantif pluriel, il le suit :
Sono vestiti di seta, non vestiti ***qualsiasi****.*
(Ce sont des robes en soie, pas n'importe quelles robes.)

2. Les pronoms indéfinis

a) ***Chiunque*** (« n'importe qui », « quiconque », « qui que ce soit »)
Chiunque *potrebbe farlo.* (Quiconque pourrait le faire.)
Lo dice a ***chiunque****.* (Il le dit à n'importe qui.)

• ***Chiunque*** peut être à la fois pronom indéfini et pronom relatif et relie deux propositions ; en ce cas, il signifie « toute personne », « tous ceux qui » :

*A questo corso può iscriversi **chiunque** abbia diciotto anni.*

(Toute personne ayant dix-huit ans peut s'inscrire à ce cours.)

• ***Chiunque*** suivi du verbe ***essere*** ou de ***dovere*** ou ***potere*** suivis à leur tour de ***essere*** a le sens de « qui que », « quel(le) que » :

***Chiunque** siate, non avete il permesso di entrare.*

(Qui que vous soyez, vous n'avez pas la permission d'entrer.)

b) ***Qualcosa*** (ou ***qualche cosa***) – ***Niente*** (ou ***nulla***)

Ce sont deux pronoms invariables qui s'opposent. Il s'emploient uniquement pour les choses :

*Vuoi **qualche cosa** (qualcosa) ?*

(Tu veux quelque chose ?)

*No, non voglio **niente** (nulla).*

(Non, je ne veux rien.)

Remarques

– Lorsque ***niente*** (ou ***nulla***) précède le verbe, on supprime la négation ***non*** :

***Niente** è stato ancora deciso.* (Rien n'a encore été décidé.)

Mais :

***Non** abbiamo deciso **niente**.* (Nous n'avons rien décidé.)

***Non** facciamo **niente**.* (Nous ne faisons rien.)

– Aux temps composés, ***niente*** et ***nulla*** se placent après le verbe :

*Non ho saputo **niente**.* (Je n'ai rien su.)

*Non ho fatto **nulla**.* (Je n'ai rien fait.)

– Dans la langue familière, ***niente*** et ***nulla*** ont le sens de « quelque chose », dans les propositions interrogatives directes et indirectes introduites par ***se*** :

*Vuoi **niente** ?* (Tu veux quelque chose ?)

*Non so se hai **niente** in vista.* (Je ne sais pas si tu as quelque chose en vue.)

– Précédés de l'article indéfini, on les emploie comme substantifs au singulier :

*Basta un **niente** per farlo contento.* (Il suffit d'un rien pour le contenter.)

*Non ti dò **un bel niente**.* (Je ne te donne rien du tout.)

– Dans la langue orale familière, ***niente*** peut être utilisé comme adjectif :

*Non ho **niente** fame.* (Je n'ai pas faim du tout.)

***Niente** vino ?* (Pas de vin ?)

c) Qualcuno, -a

Il ne s'emploie qu'au singulier mais il peut avoir une valeur de pluriel ; on l'utilise pour les personnes et les choses :

*È venuto **qualcuno** ?*

(Quelqu'un est venu ?)

*Di quelle penne, ne ho presa **qualcuna**.*

(J'en ai pris quelques-uns, de ces stylos.)

*d) **Ognuno, -a*** et ***ciascuno, -a***
Ils sont toujours au singulier, mais sont variables en genre :

***Ognuno** sa quello che deve fare.*
(Chacun sait ce qu'il doit faire.)
***Ciascuna** potrà dire la propria opinione.*
(Chacune pourra dire sa propre opinion.)

→ **N.B.** Rappelons l'emploi obligatoire du possessif *proprio* avec un indéfini (▷ voir page 43).

Ciascuno, -a est préféré à ***ognuno, -a*** lorsqu'on met en évidence la valeur distributive :

*La zia Sara ha regalato alle nipoti venti euro **ciascuna**.*
(Tante Sara a donné vingt euros à chacune de ses nièces.)
***Ciascuno** dei candidati dovrà presentarsi alle otto.*
(Chacun des candidats devra se présenter à huit heures.)

*e) **Uno, una***

- C'est un article indéfini.

- C'est aussi un pronom.

– Au singulier, il a le sens de « quelqu'un », « une personne » ; il est employé également pour la traduction de « on » :

*C'è **uno** che vuole parlare al direttore.*
(Il y a quelqu'un qui veut parler au directeur.)
***Uno** di loro è americano.*
(L'un d'entre eux est américain.)
***Uno** si accorge sempre troppo tardi di aver sbagliato.*
(On s'aperçoit toujours trop tard de s'être trompé.)

– Au singulier et au pluriel, il peut être en corrélation avec ***altro, -a, -i, -e*** dans le sens de « l'un... l'autre », « les uns... les autres » :

*Scegli l'**una** o l'**altra**.* (Choisis l'une ou l'autre.)

3. Les adjectifs et pronoms indéfinis

La plupart des indéfinis sont à la fois adjectifs et pronoms.

*a) **Alcuno, -a, -i, -e***

- Adjectif, il est employé au pluriel dans des phrases affirmatives :

*Ho già venduto **alcune copie** di questo libro.*
(J'ai déjà vendu quelques exemplaires de ce livre.)

Au singulier, dans ces phrases, il est remplacé par ***qualche*** (▷ voir page 81).

● Adjectif, il est employé au singulier dans des phrases négatives ou de sens négatif et il a alors le même sens que ***nessuno*** en fonction d'adjectif, mais il est moins utilisé :

Non ha { ***alcuna*** / ***nessuna*** } *importanza.* (Cela n'a aucune importance.)

senza ***alcuna*** *esitazione* (sans aucune hésitation)

● Pronom, il est employé au pluriel :

Alcuni *hanno detto di sì.* (Quelques-uns ont dit oui.)

Au singulier on emploierait ***qualcuno*** (▷ voir page 82) :

Qualcuno *ha detto di sì.* (Quelqu'un a dit oui.)

b) ***Nessuno, -a*** (toujours au singulier)

● Adjectif, il a le sens de « aucun » :

Nessun *uomo è perfetto.* (Aucun homme n'est parfait.)
Non ho ***nessuna*** *voglia di vederlo.* (Je n'ai aucune envie de le voir.)

● Pronom, il a le sens de « personne », « aucun » :

Non ho visto ***nessuno****.* (Je n'ai vu personne.)
Hai una cassetta da prestarmi ? – No, non ne ho ***nessuna****.*
(Tu as une cassette à me prêter ? – Non, je n'en ai aucune.)

Nessuno se comporte comme *niente* en ce qui concerne la négation (▷ voir page 82) :

Nessuno *ha telefonato.*
Non *ha telefonato* ***nessuno****.* } (Personne n'a téléphoné.)

c) Tanto, -i, -a, -e

● Adjectif, il a le sens de « tant de... », « tellement de », « autant de », « beaucoup de »... :

C'era ***tanta*** *gente...* (Il y avait tant de monde...)

● Pronom, il traduit « beaucoup » :

Tanti *hanno preferito rinunciare al viaggio.*
(Beaucoup ont préféré renoncer à leur voyage.)

Remarque

Adverbe, il s'emploie dans les comparatifs en corrélation avec *quanto* (▷ voir page 32) :

È ***tanto*** *intelligente* ***quanto*** *bello.* (Il est aussi intelligent que beau.)

Dans ce cas, bien sûr, il est invariable, mais il est variable devant un substantif :

C'erano ***tanti*** *uomini* ***quante*** *donne.* (Il y avait autant d'hommes que de femmes.)

d) Tutto, -i, -a, -e

Adjectif ou pronom, il traduit « tout », « toute »...

Tutta la famiglia... (Toute la famille...)

- ***tutto*** s'accorde toujours, même quand il est adverbe en français :
  *Sono tu**tte** felici.* (Elles sont tout heureuses.)

- Avec un numéral, on ajoute la conjonction ***e*** à ***tutto*** :
  *tutti **e** quattro* (tous les quatre)
  *tutti **e** due i fratelli* (les deux frères)

- Adjectif ou pronom, ***tutto*** est souvent renforcé par ***quanto*** variable en genre et en nombre :
  *Venite **tutti quanti** !* (Venez tous !)
  *Ha mangiato **tutta quanta** la torta.* (Il a mangé tout le gâteau.)

e) Tale, tali

- Adjectif, il est souvent précédé de l'article indéfini :
  *Ha telefonato **un tale** signor Martini.*
  (Un certain monsieur Martini a téléphoné.)

On le trouve :
- dans les propositions introduisant une consécutive exprimée ou non :
  *Ha **una tale** voglia di vivere !* (Elle a une telle envie de vivre !)
- en corrélation avec lui-même :
  ***tale** il padre, **tale** il figlio* (tel père, tel fils)
- Il peut avoir la valeur d'un démonstratif :
  *Accetti **tali** persone ?* (Tu acceptes ces personnes ?)

- Pronom, ***un tale*** a le sens de « un individu », « quelqu'un » :
  *Ha telefonato **un tale** che voleva parlare con te.*
  (Quelqu'un a téléphoné, il voulait te parler.)

→ **N.B.** *il tal dei tali ; la tal dei tali* (monsieur Untel ; madame Untel)

f) Altro, -i, -a, -e

- Adjectif ou pronom, il a le sens de « autre » :
  ***un' altra** persona*
  (une autre personne)
  ***Gli altri** non sono arrivati.*
  (Les autres ne sont pas arrivés.)

- Adjectif, il peut avoir le sens de ***scorso*** ou de ***prossimo*** :
  *L'ho visto l'**altra** settimana.*
  (Je l'ai vu la semaine dernière.)
  *Quest'**altra** settimana vado a Parigi.*
  (La semaine prochaine je vais à Paris.)

- Pronom au masculin singulier et sans article, il a sens de « autre chose » :
  *Vuole **altro** ?* (Vous voulez autre chose ? / Avec cela ?)

Réponse :

*Non voglio **altro**.*
***Altro**.* (dans la langue familière) } (Je ne veux rien d'autre.)

Rappelons que ***altro*** précède le numéral (▷ voir page 74) :
*le **altre due** macchine* (les deux autres voitures) ;
*gli **altri tre*** (les trois autres).

g) **Les indéfinis de quantité : *molto, poco, parecchio, troppo, tanto*.**
Ils correspondent à des adverbes de quantité en français (« beaucoup de », « peu de », « trop de » ...).

- Adjectifs, ils s'accordent avec le nom qui les suit :
  *C'era molt**a** gente.* (Il y avait beaucoup de gens.)
  *Abbiamo tropp**i** pensieri.* (Nous avons trop de soucis.)
  *È rimasto poch**i** giorni.* (Il est resté quelques jours.)

- Pronoms, ils s'accordent avec le nom qu'ils remplacent :
  *Dei pensieri ? Ne ho parecch**i**.*
  (Des soucis ? J'en ai pas mal / beaucoup.)

- Certains peuvent être employés comme adverbes, en ce cas ils sont invariables :
  *Mi sembra **parecchio** dimagrita.* (Il me semble qu'elle a pas mal maigri.)
  *Ho dormito **poco**.* (J'ai peu dormi.)
  *Ho lavorato **molto**.* (J'ai beaucoup travaillé.)

- Il existe le cas inverse : l'adverbe ***più*** peut être employé comme adjectif ou pronom. Il a le sens de ***parecchio, -a***... (« beaucoup », « plusieurs », « pas mal ») :
  *Ieri, l'ho visto **più** volte.* (Hier, je l'ai vu plusieurs fois.)

On le trouve dans quelques expressions figées :
*il **più** delle volte* (la plupart des fois)
*per lo **più*** (le plus souvent)

4. La traduction de « on »

Le pronom « on » n'existe pas en italien, il est remplacé par des tournures équivalentes.

- par le verbe à la 1re personne du pluriel, si le locuteur considère qu'il fait partie du groupe représenté :
  ***Siamo partiti** alle dieci.* (On est parti à dix heures.)

- par le verbe à la 3e personne du pluriel, si le locuteur considère qu'il ne fait pas partie du groupe :

    *Mi **hanno detto** che c'è un autobus.* (On m'a dit qu'il y a un autobus.)
    ***L'hanno visto** ieri sera.* (On l'a vu hier soir.)

- par ***uno*** (▷ voir page 83) :

    *In quelle situazioni, **uno** non sa come rispondere.*
    (Dans ces situations, on ne sait pas comment répondre.)

- par le verbe à la forme réfléchie ; c'est la tournure la plus courante :

    ***Si mangia** alle otto.* (On mange à huit heures.)
    Si vedrà. (On verra.)

Remarques

– Le complément en français devient sujet dans la tournure italienne avec accord s'il y a lieu :

*Si sentono **i rumori** della metropolitana.*
(On entend les bruits du métro.)
*Si mangiano **le ostriche** all'inizio del pranzo.*
(On mange les huîtres au début du repas.)

– L'auxiliaire des temps composés est le verbe ***essere*** :

*Si **sono** venduti molti fiori per Natale.*
(On a vendu beaucoup de fleurs pour Noël.)
*Si **è** parlato di te.* (On a parlé de toi.)

– Aux temps composés, s'il s'agit d'un verbe qui se conjugue normalement avec *essere*, le participe passé de la forme réfléchie est au pluriel. Il en est de même pour les attributs (adjectifs ou substantifs) :

*Quando si è usci**ti**, pioveva.* (Quand on est sorti, il pleuvait.)
*Quando si è giova**ni**, si è spensiera**ti**.*
(Quand on est jeune, on est insouciant.)

– Dans les petites annonces, ***si*** est placé après le verbe et forme un seul mot avec lui :

*Vende**si** appartamento.* (Appartement à vendre.)
*Affittan**si** monolocali arredati.* (Studios meublés à louer.)

– ***Si*** peut être employé avec d'autres pronoms personnels. Il est toujours placé le plus près possible du verbe, sauf avec ***ne*** (« en ») :

***Mi si** dice che la sua pratica è pronta.* (On me dit que votre dossier est prêt.)
***Gli si** è già detto.* (On lui a déjà dit.)

Mais :

***Se ne** discuterà.* (On en discutera.) (▷ voir Les pronoms personnels groupés, page 57).

→ **N.B.**

– « On le... » Lorsque « le » est neutre, il est souvent supprimé en italien, tout comme « les » lorsque le contexte est clair :

Le ostriche ? Si possono trovare in Italia ?
(Les huitres ? On peut les trouver en Italie ?)
Si sapeva già. (On le savait déjà.)

– Attention aux ambiguïtés avec ***si*** ! ***Ci si*** traduit « on se », « on nous », « on s'y » :

Ci si *sistemerà*
- (On s'installera.)
- (On nous installera.)
- (On y installera…)

Seul le contexte permet de dissiper ces ambiguïtés.

– Le possessif de cette tournure est ***proprio*** :

*Non si è mai soddisfatti della **propria** famiglia.*
(On n'est jamais content de sa famille.)

- par le **passif**, qui est cependant impossible avec le verbe « être » et les verbes intransitifs. On le trouve souvent dans des locutions formées avec le verbe ***fare*** ou ***lasciare*** :

*La lettera **è stata mandata** il 20 gennaio.* (On a envoyé la lettre le 20 janvier.)
***Fu lasciato** andare.* (On l'a laissé partir.)
***Fu fatto** entrare.* (On le fit entrer.)

EXERCICES

❶ Mettre l'adjectif ou le pronom indéfini qui convient :

1. … giorno fa, sono andata al mare a prendere il sole.
2. È venuto … per te.
3. Ho visto … miei amici che andavano in discoteca.
4. Vieni a trovarmi … volta.
5. È venuto … a riparare la TV ? No, …
6. Ho … dubbio sulle sue capacità.
7. Il direttore è rimasto … settimana a Portofino.
8. Non ho fatto … oggi.
9. Ho cercato di fare … ma non ci sono riuscito.
10. Va a Roma … giorno.
11. Hanno spostato … i libri della libreria del salotto.
12. … di noi sa quello che deve fare.

❷ Traduire :

1. C'était une soirée quelconque.
2. Quoi que tu fasses, il ne sera pas d'accord.
3. Tu peux venir me voir à n'importe quel moment.
4. Je n'ai aucune envie d'y aller.
5. Elle a pas mal de vestes mais elle met toujours la même.
6. Elle l'aurait dit à n'importe qui.
7. Certains ont payé la cotisation, d'autres non.
8. Toutes sont anxieuses de savoir le résultat.
9. Les deux autres voitures n'ont pas participé à la compétition.
10. Certains collègues sont sympathiques, d'autres non.

❸ Faire des phrases correctes avec les éléments ci-dessous :

	qualche	gli amici di Paolo.
Sono venuti	certi	i miei amici.
È venuto	alcuni	mio amico.
	tutti	miei amici.

❹ Choisir le mot qui convient pour compléter les phrases suivantes :

1. Ha scritto il testo senza ... errore.
   a) niente b) nessun c) qualche d) ogni
2. Vieni a ... ora.
   a) alcuna b) qualsiasi c) nessuna d) poca
3. C'erano ... persone allo spettacolo.
   a) ogni b) nessuna c) tutte d) tante
4. Va in Italia ... due mesi.
   a) tutti b) parecchi c) ogni d) qualche
5. Puoi chiederlo a ...
   a) chiunque b) qualunque c) tale d) nulla
6. Ti voglio far sentire ... cassette di cui ti avevo parlato.
   a) ogni b) alcune c) tutte d) qualche
7. ... giorno va in laboratorio.
   a) certo b) alcun c) ogni d) ognuno
8. È pronto a fare ... cosa per lei.
   a) nessuna b) qualsiasi c) alcuna d) qualunque
9. ... di noi lo sapeva già.
   a) alcuno b) certo c) altro d) ognuno
10. ... ha telefonato alle sei.
    a) certo b) qualcuno c) ognuno d) tutto
11. Andrò in Grecia con ... mio amico.
    a) qualche b) certo c) ogni d) poco
12. Non ho avuto ... risposta da parte sua.
    a) qualche b) tale c) certa d) alcuna

❺ Traduire ces phrases avec « on » :

1. Hier, on est allé manger une pizza.
2. On m'a dit qu'il n'y a plus de place sur le ferry.
3. On peut faire plus quand on veut.
4. On ne peut plus voir les montagnes à présent.
5. On aura les résultats demain.
6. Quand on est jeune, on ne pense pas beaucoup à sa famille.
7. On n'a pas pu le voir, il était trop tard.
8. On a bien vendu ces romans pendant les vacances.
9. On mange beaucoup de glaces en Italie.
10. On ne peut pas lui demander plus.
11. On a coupé les arbres qui gênaient la circulation.

12. On a rencontré vos enfants au théâtre.
13. Dans cet appartement, on entend tous les bruits de la rue.
14. On a écouté avec plaisir les chansons du spectacle de Lucio Dalla.
15. On se retrouvait, on jouait du piano, on s'amusait.
16. On s'est beaucoup amusé.

Voir corrigés page 177.

17 Les adverbes

1. Les adverbes de manière

À cette catégorie appartiennent :

- les adverbes formés à partir de la forme féminine de l'adjectif à laquelle on ajoute le suffixe ***-mente*** :

  lento, *lenta**mente***
  forte, *forte**mente***

→ **N.B.** Il y a apocope du ***e*** final pour les adjectifs en ***-le*** et ***-re***

  generale, *genera**lm**ente*
  singolare, *singola**rm**ente*

Autres exceptions :

  leggero, *legge**rm**ente*
  violento, *violent**em**ente*

- les adverbes formés avec le suffixe ***-oni*** qui indiquent une attitude de la personne :

  *bocc**oni*** (à plat ventre)
  *ciondol**oni*** (ballant)
  *tast**oni*** (à tâtons)
  *balzell**oni*** (en sautillant)
  *carp**oni*** (à quatre pattes)
  *cavalci**oni*** (à cheval, à califourchon)
  *ginocchi**oni*** (à genoux)

- certains adjectifs, au masculin singulier, qui sont employés comme adverbes :

  parlare chiaro (parler clairement)
  rispondere giusto (bien répondre)
  camminare piano (marcher lentement)

Rappelons que certains adjectifs employés comme adverbes de manière peuvent s'accorder (▷ voir page 27) :

*Camminavano **svelte**.* (Elles marchaient vite.)

- d'autres adverbes et des locutions adverbiales formées avec des prépositions :

bene (bien)	***così*** (ainsi)
male (mal)	***invece*** (au contraire)
presto (vite)	***volentieri*** (volontiers)
anche (aussi)	***perfino*** (même)
pure (aussi)	***magari*** (et même, à la rigueur)
a caso (au hasard)	***di solito*** (d'habitude)
in fretta (en hâte)	***sul serio*** (sérieusement)
insieme (ensemble)	***di rado*** (rarement)

EXERCICES

❶ Transformer les phrases sur le modèle suivant en utilisant un adverbe en *-mente* :

Rispondeva in modo insolente e caparbio.
→ *Rispondeva insolentemente e caparbiamente.*

1. Non potrò farlo in modo corretto.
2. Spiega le cose in modo disordinato.
3. Ha detto di no con chiarezza.
4. Tutto è successo all'improvviso.
5. Apprezzo in modo particolare la sua discrezione.
6. La commessa ci ha risposto in modo gentile e garbato.
7. La macchina saliva con lentezza.
8. Devi affrontare questa situazione in modo coraggioso e dignitoso.
9. Fa le battute in modo ironico ma umoristico.
10. Stropicciava il fazzoletto con nervosismo.
11. Si dovrà agire in modo leale.
12. È arrivato in silenzio.
13. Devi leggere con attenzione.
14. Marco studia in modo regolare.
15. Mi guardava con aria innocente.
16. Ha viaggiato con prudenza.
17. Lui rispondeva in modo ragionevole.
18. Era seduto comodo sulla poltrona.
19. L'ho incontrato in modo inaspettato per strada.
20. Sempre ha lavorato con rigore.

❷ **Transformer la locution adverbiale en adverbe en *-mente* :**

di sicuro → *sicuramente*

1. di certo
2. di recente
3. di solito
4. sul serio
5. di preciso
6. di rado
7. all'improvviso
8. di nuovo

Voir corrigés page 178.

2. Les adverbes de temps

ora (maintenant)	***presto*** (tôt)
adesso (maintenant)	***tardi*** (tard)
ieri (hier)	***ieri l'altro*** (avant-hier)
oggi (aujourd'hui)	***sempre*** (toujours)
domani (demain)	***mai*** (jamais)
domani l'altro (après-demain)	***allora*** (alors)
poi (puis)	***finora*** (jusqu'à maintenant)
d'ora in poi (à partir de maintenant)	***talora*** (parfois)
ancora (encore)	***talvolta*** (parfois)
ormai (désormais)	***a volte*** (parfois)
per molto tempo (longtemps)	***subito*** (tout de suite)
a lungo (longtemps)	***spesso*** (souvent)
per lo più (le plus souvent)	***molte volte*** (souvent)
intanto (pendant ce temps)	***ogni tanto*** (de temps en temps)
prima (avant, auparavant)	***di quando in quando*** (de temps en temps)
prima o poi (tôt ou tard)	

- ***Mai*** s'emploie avec la négation ***non*** :

  Marco ***non*** *è* ***mai*** *puntuale.* (Marc n'est jamais à l'heure.)

Mais on le trouve de plus en plus devant le verbe sans autre négation, comme ***niente***, ***nulla***, ***nessuno*** :

  Mai *lo farò.* (Je ne le ferai jamais.)

au lieu de :

  Non lo farò ***mai***.

- ***Mai***, dont le sens était positif, a conservé cette valeur dans les propositions interrogatives et hypothétiques ; il signifie : « quelquefois », « par hasard » :

  Se ***mai*** *ti capitasse di passare da Firenze, telefonami !*
  (Si jamais il t'arrivait de passer / Si jamais tu passais par Florence, téléphone-moi !)

- Il sert aussi à renforcer une interrogation :
  *Come **mai** ?* (Comment donc ? / Comment se fait-il ?)
  *Perché **mai** parte ?* (Pourquoi donc partez-vous ?)

Dans ce cas il n'est donc plus adverbe de temps.

EXERCICE

Mettre l'adverbe de temps (ou la locution adverbiale) qui convient :

1. Domani mi devo alzare alle 4. È un po' ... !
2. Va ogni giorno in palestra, ci va ...
3. È urgentissimo ! Vieni ... !
4. È meglio tardi che ... !
5. Siamo rimasti bloccati nell'ascensore per tre ore ! – Siete rimasti ... !
6. Oggi ne abbiamo 24, ... sarà il 26.
7. Ha dormito fino a mezzogiorno, si è alzato ...
8. Non vado molto a teatro, solo ... !
9. Finisco di vestire il bambino, ... metti in moto la macchina.
10. Non bisogna mai dire né ... né ...
11. Sei ... in ritardo, non ne posso più !
12. Prima avevo voglia di un gelato, ... no.

Voir corrigés page 178.

3. Les adverbes de lieu

qui (ici)
qua (ici, avec une idée de mouvement)
lì (là, pas très loin)
là (là)
quaggiù (en bas)
laggiù (là-bas)
avanti (en avant)
indietro (en arrière)
quassù (en haut)
lassù (là-haut)
di fronte (en face)
in faccia (en face)
dentro (dedans)
in mezzo (au milieu)
nel mezzo (au milieu)
fuori (dehors)
vicino (près)
accanto (près)
lontano (loin)
dove (où)
dappertutto (partout)
altrove (ailleurs)
su (en haut)
giù (en bas)

- Nous pouvons y ajouter les adverbes ***ci*** (« y ») et ***ne*** (« en », « de cet endroit ») :
  ***Ci** vado.* (J'y vais.)
  *Eri alla riunione ? – Sì, ma **ne** sono uscito alle nove.*
  (Tu étais à la réunion ? – Oui, mais j'en suis sorti à neuf heures.)

- L'adverbe ***via*** qui indique une idée de mouvement, modifie le sens d'un verbe. Il en est de même pour ***dentro***, ***fuori***, ***su***, ***giù*** qui entrent dans des expressions idiomatiques traduisant une direction :

*Eri **via** ?* (Tu étais parti ?)
*Mandalo **via** !* (Renvoie-le ! / Mets-le à la porte !)
*Porta **su** la valigia !* (Monte la valise !)

Quelquefois le verbe peut être sous-entendu :

*Scese e poi **fuori**.* (Il descendit et sortit.)
*Ha pagato e poi **via**.* (Il a payé, puis il est parti.)

EXERCICE

Mettre l'adverbe de lieu qui convient :

1. Non ti aspetto all'interno, ti aspetto ...
2. Ci sono zanzare in cucina, in camera, insomma ... in questa casa !
3. Vieni ... ! ho da parlarti.
4. La farmacia ? è lontana, è ...
5. Avete camminato troppo, dovete tornare ...
6. Non sono mai andato in Sardegna, ... andrò l'anno prossimo.
7. Hai visto gli alpinisti ..., su quella parete rocciosa ?
8. Ecco la casa ... è stato ospitato Dante.
9. Voglio partire ; portami ... subito !
10. È troppo freddo per cenare ... sulla terrazza.
11. Avrei voglia di andare ..., in India, in Cina o ...

Voir corrigés page 178.

4. Les adverbes de quantité

quanto (combien)
tanto (tellement, tant, beaucoup)
assai (beaucoup)
molto (beaucoup)
un poco, un po' (un peu)
troppo (trop)
alquanto (quelque peu)
parecchio (beaucoup, pas mal)
piuttosto (plutôt, assez)
per nulla (nullement)
per niente (nullement)
abbastanza (assez)
più, di più (plus, davantage)
meno (moins)
appena (à peine)
quasi (presque)
circa (environ)
su per giù (environ, à peu près)
et les locutions :
sempre più (de plus en plus)
sempre meno (de moins en moins)
né più né meno (ni plus ni moins)

- ***Molto*, *poco*, *troppo***, etc. employés comme adverbes sont invariables :
  *Viaggiano **troppo**.* (Ils voyagent trop.)

(Pour leur emploi en tant qu'adjectifs et pronoms indéfinis, ▷ voir page 86.)

- ***Assai*** (« beaucoup ») ne doit pas être confondu avec ***abbastanza*** (« assez ») :
  *È un uomo che beve **assai**.*
  (C'est un homme qui boit beaucoup.)

- L'adverbe ***affatto*** dont le sens était positif (« entièrement », « tout à fait ») renforce la négation ; aujourd'hui il est de plus en plus senti comme un négatif en particulier dans les réponses à la place de ***niente affatto*** :
  *È un progetto **affatto** diverso.*
  (C'est un projet tout à fait différent.)
  ***Non** mi piace **affatto** viaggiare.*
  (Je n'aime pas du tout voyager.)
  *Hai studiato ? – **Affatto** !*
  (Tu as travaillé ? – Pas du tout !)

- ***Più*** et ***meno*** directement suivis du nom correspondent au français « plus de », « moins de » + nom :
  *Dammi **meno** lavoro !* (Donne-moi moins de travail !)

EXERCICE

Traduire :

1. Ce film est assez bon.
2. Nous sommes arrivés, heureusement ! Nous avons beaucoup marché.
3. Tu as pas mal de retard ce soir, alors que moi, j'étais un peu en avance.
4. Il sort de plus en plus avec ses amis.
5. Vous faites environ deux cents mètres et vous arrivez à la gare.
6. Elle est à peine guérie mais elle recommence à travailler.
7. – Il t'a plu, ce livre ? – Ah non, pas du tout !
8. Je n'ai pas faim du tout.
9. Le directeur est quelque peu nerveux ce matin.
10. Des pommes de terre ? Tu dois en acheter davantage.
11. Il faudra travailler davantage pour tout finir.
12. Depuis que son mari l'a quittée, elle a moins d'argent.
13. Il est de moins en moins motivé pour participer aux compétitions.
14. Cette traduction est trop difficile, je n'ai pas du tout envie de la faire.

Voir corrigés page 178.

5. Les adverbes d'affirmation, de négation et de doute

certo (certes)	***non*** (ne… pas)
certamente (certainement)	***neanche*** (même pas)
di certo (sûrement)	***nemmeno*** (même pas)
sicuro (sûrement)	***neppure*** (non plus)
sicuramente (bien entendu)	***nondimeno*** (néanmoins)
appunto (justement)	***neanche per sogno*** (jamais de la vie)
sì (oui)	***forse*** (peut-être, sans doute)
no (non)	***quasi*** (presque)
senza dubbio (sans aucun doute)	***magari*** (à la rigueur)
indubbiamente (sans aucun doute)	***eventualmente*** (éventuellement)
probabilmente (probablement)	***davvero*** (vraiment)

Attention : Ne pas confondre ***forse*** (« peut-être », « sans doute ») avec ***senza dubbio*** (« sans aucun doute »).

6. Les tournures négatives

- ***Non*** (« ne… pas ») est différent de la réponse négative ***no*** (« non »).

- La négation peut être renforcée par ***affatto*** (▷ voir page 95), par ***mica*** ou ***punto*** ; ces expressions appartiennent à la langue parlée.

Attention : ***Punto***, qui s'emploie surtout en Toscane, est un adjectif qui s'accorde en genre et en nombre :
*Non ho punt**a** fame.* (Je n'ai pas faim du tout.)
*Non è **mica** semplice.* (Ce n'est pas simple.)
***Mica** male !* (Pas mal !)

L'emploi de ***mica*** implique qu'on attendait ce qui est nié.

- Rappelons que *nemmeno, neanche, neppure, niente, nulla, né* (« ni ») et *mai*, précédant le verbe se construisent sans la négation ***non*** :
***Neanche** Silvia viene.* (Silvia non plus ne vient pas.)

On rétablit ***non*** s'ils suivent le verbe :
***Non** viene **neanche** Silvia.*

- ***Soltanto***, ***solo***, ***non… che*** } traduisent la tournure française « ne… que » indiquant la restriction :

Ho speso ***soltanto*** *cinquanta euro.*
Ho speso ***solo*** *cinquanta euro.*
Non *ho speso* ***che*** *cinquanta euro.*
(Je n'ai dépensé que cinquante euros.)

– Si ***solo*** ne porte pas sur un verbe, il s'accorde comme un adjectif :
*Due biglietti sol**i** ?* (Deux billets seulement ?)
*Cinque lire sterline sol**e** !* (Cinq livres sterlings seulement !)
*Ho comprato questo vestito per sol**i** cinquanta euro.*
(J'ai acheté cette robe pour cinquante euros seulement.)

– ***Non... che*** est souvent renforcé par ***altro*** avec les verbes ***essere, avere*** et ***fare*** :
Non *fa* ***altro che*** *criticare.* (Il ne fait que critiquer.)

« Ne » explétif français :
– Généralement, le « ne » explétif français ne se traduit pas en italien après les verbes exprimant la crainte, et après la conjonction ***prima che*** :
Temo che sia *in ritardo.* (Je crains qu'il ne soit en retard.)
Voglio telefonare ***prima che sia*** *troppo tardi.*
(Je veux téléphoner avant qu'il ne soit trop tard.)

– En revanche, on trouve souvent ***non*** explétif dans les propositions comparatives :
È più facile di quanto ***non*** *pensassi.* (C'est plus facile que je ne pensais.)

et avec ***non appena*** (« dès que ») et l'expression ***poco mancò che non*** suivie d'un verbe au subjonctif :
Non *appena lo vedrò, ti avvertirò.* (Dès que je le verrai, je te préviendrai.)
Poco mancò che ***non*** *cadesse.* (Il s'en fallut de peu qu'il ne tombât.)

EXERCICES

❶ Traduire :

1. Il est sans doute trop tard pour faire la demande.
2. Tu peux, à la rigueur, le prévenir.
3. – Tu l'invites ce soir ? – Ah non, jamais de la vie !
4. Il n'est même pas venu me voir !
5. Elle sera sûrement en retard.
6. – Elle est neuve sa voiture ? – Ah oui, sans aucun doute !
7. Durant les réunions il ne dit rien, il ne fait que fumer.
8. Ils n'ont qu'un enfant.
9. Lui non plus ne peut pas partir.
10. – J'ai pris dix places. – Seulement ? Mais nous sommes douze !
11. Cet après-midi, nous avons bien travaillé.

12. Il a mal fait, il n'aurait pas dû accepter.
13. J'ai trop mangé, je ne veux plus rien.
14. Il n'est que six heures, il n'est pas tard.
15. Il ne veut ni chien ni chat chez lui.

❷ **Transformer selon le modèle :**

Nessuno ha telefonato.
→ *Non ha telefonato nessuno.*

1. Neanche lui lo sa.
2. Nemmeno io verrò.
3. Niente poteva succedere.
4. Mai potrò dimenticarlo.
5. Nessuno lo fermerà.
6. Né lui né io, abbiamo visitato questo museo.
7. Neanche l'Italia accetterà questi ricatti.
8. Nessuno potrà farlo.
9. Neppure lui aveva fame.
10. Nulla cambierà con lui.

Voir corrigés page 178.

7. La place des adverbes

- L'adverbe se met devant l'adjectif ou un autre adverbe :
  È ***troppo*** *stanco.* (Il est trop fatigué.)
  È ***particolarmente*** *antipatica.* (Elle est particulièrement antipathique.)

- En général, il suit le verbe :
  Abitano ***lontano***. (Ils habitent loin.)
  per vedere ***bene*** (pour bien voir)

et même aux temps composés, les adverbes et plus particulièrement ***molto***, ***poco***, ***bene*** sont postposés au participe passé. Il en est de même pour les pronoms indéfinis ***tutto***, ***niente***, ***nulla*** et ***nessuno*** :

Ha mangiato ***molto***. (Il a beaucoup mangé.)
Hai fatto ***bene***. (Tu as bien fait.)
Non ha mangiato ***nulla***. (Il n'a rien mangé.)
Ha mangiato ***tutto***. (Il a tout mangé.)

18 Les prépositions

Rappelons que les prépositions ***a***, ***di***, ***da***, ***in*** et ***su*** se contractent avec les articles définis (▷ voir page 11).

1. *A*

S'emploie pour désigner :

- le mouvement

– vers un lieu, la destination :

*Vai **a** Roma ?* (Tu vas à Rome ?)
*Vado **a** pesca.* (Je vais à la pêche.)

– après les verbes de mouvement suivis d'un infinitif :

*Corro **ad** avvertirlo.* (Je cours le prévenir.)
*Vado **a** prendere i biglietti.* (Je vais prendre les billets.)

Remarque

On ajoute un ***-d*** à la préposition ***a*** (***ad***) lorsqu'elle précède un mot commençant par la voyelle ***a*** pour une question d'euphonie.

- le point d'arrivée, l'endroit où l'on est :

*Elena vive **a** Parigi.* (Elena vit à Paris.)
*Sto **a** casa oggi.* (Je reste à la maison aujourd'hui.)
*Lavora **al** ministero degli Affari esteri.*
(Il travaille au ministère des Affaires étrangères.)

- le temps déterminé, l'âge, l'heure :

all'*alba* (à l'aube) ; ***allo*** *spuntar del sole* (au lever du jour) ;
*È partito **a** mezzogiorno.* (Il est parti à midi.)
*È morta **a** ottantadue anni.* (Elle est morte à quatre-vingt-deux ans.)

- le prix, la mesure, l'espace, la distance :

*Vende i funghi **a** venti euro al chilo.*
(Il vend les champignons vingt euros le kilo.)
*Non sono **a** buon mercato.* (Ils ne sont pas bon marché.)
*Questa macchina va **a** duecento chilometri l'ora.*
(Cette voiture va à deux cents kilomètres à l'heure.)
*Abito **a** un chilometro da qui.* (J'habite à un kilomètre d'ici.)

- la forme, l'attitude, la manière, le procédé :

*una casa **a** due piani* (une maison à deux étages)
*un forno **a** microonde* (un four à micro-ondes)
*parlare **a** bassa voce* (parler à voix basse)
a *memoria* (par cœur)
*delle uova **al** tegamino* (des œufs au plat)

- la distribution dans les expressions telles que :
  all'*anno* (par an), ***al*** *mese* (par mois), ***al*** *giorno* (par jour),
  a *centinaia* (par centaines)

mais :
  per *settimana* (par semaine)

2. *Da*

Indique :

- la provenance, le point de départ (lieu et temps), l'origine :
  Torno ***da*** *Pisa.* (Je reviens de Pise.)
  È partito ***da*** *due ore.* (Il est parti depuis deux heures.)
  Quest'usanza viene ***dal*** *Medioevo.* (Cette coutume vient du Moyen Âge.)
  L'ho saputo ***dalla*** *televisione.* (Je l'ai su par la télé.)
  Da *quando abitate a Milano ?* (Depuis quand habitez-vous à Milan ?)

- l'éloignement, la différence, la séparation :
  È lontano ***da*** *me.* (Il est loin de moi.)
  Le nostre abitudini sono diverse ***dalle*** *vostre.*
  (Nos habitudes sont différentes des vôtres.)

- le lieu par où l'on passe :
  Sono passati ***dall'****uscita di sicurezza.* (Ils sont passés par la sortie de secours.)

- la destination, le lieu quand le français utilise « chez » :
  Vengo ***da*** *te alle nove.* (Je viens chez toi à neuf heures.)
  Ti aspetto ***dal*** *dentista.* (Je t'attends chez le dentiste.)

- l'agent :
  È stimato ***da*** *tutti.* (Il est estimé de tous.)
  È stata invitata ***dai*** *suoi amici francesi.* (Elle a été invitée par ses amis français.)

- la cause (avec article) :
  Piangeva ***dalle*** *risate.* (Il pleurait de rire.)
  Muoio ***dalla*** *voglia di fare un bel viaggio.*
  (Je meurs d'envie de faire un beau voyage.)

- l'âge, la condition :
  Da *giovani non si pensa mai agli incidenti.*
  (Étant jeune, on ne pense jamais aux accidents.)

- l'usage, le but :
  una macchina ***da*** *scrivere* (une machine à écrire)

*lo spazzolino **da** denti* (la brosse à dents)
*occhiali **da** sole* (des lunettes de soleil)
*Che vuoi **da** bere ?* (Que veux-tu à boire ?)

- l'obligation avec ***da*** suivi d'un infinitif :
  *Ho **da** finire questo lavoro.* (Je dois finir ce travail.)
  *È **da** buttare.* (C'est à jeter.)

- la caractéristique :
  *una donna **dalla** voce rauca*
  (une femme à la voix rauque)
  *una casa **dalle** persiane azzurre*
  (une maison aux volets bleus)

- la qualité (en tant que, comme il convient à, digne de), la manière :
  *Funge **da** direttore.* (Il fait fonction de directeur.)
  *Ci ha accolti **da** perfetto padrone di casa.*
  (Il nous a accueillis en parfait maître de maison.)
  *È un pranzo **da** re.* (C'est un repas de roi.)

- la valeur, le prix :
  *una macchina **da** ventimila euro* (une voiture de vingt mille euros)

- ***da*** + pronom personnel = ***da solo***
  *Lo faranno **da sé**.* (Ils le feront tout seuls.)

da en corrélation avec ***così*** :
*Era **così** stanco **da** non potere più andare al cinema.*
(Il était si fatigué qu'il ne pouvait plus aller au cinéma.)

3. *Di*

Désigne :

- l'appartenance :
  ***Di** chi è questa macchina ? È **del** macellaio.*
  (À qui est cette voiture ? Elle est au boucher.)

- la qualité, la spécialité :
  *un orologio **di** alta precisione* (une montre de précision)
  *una donna **di** polso* (une femme à poigne)
  *uno studente **di** lettere* (un étudiant en Lettres)

- la matière :
  *un pezzo **di** carta* (un morceau de papier)
  *un tavolo **di** marmo* (une table en marbre)

- le contenu, la mesure :
  *una bottiglia **d'acqua*** (une bouteille d'eau)
  *una tazza **di** caffè* (une tasse de café)
  *una piscina **di** cinquanta metri per venticinque*
  (une piscine de 50 mètres sur 25)

- l'âge :
  *un bambino **di** tre mesi* (un enfant de trois mois)

- la saison, le mois (temps déterminé), les dates :
  ***d'**estate* (en été) ; ***d'**inverno* (en hiver)
  *Ci andrò **di** luglio.* (J'irai en juillet.)
  nel novembre del 1989 (en novembre 1989)

- et les moments de la journée :
  ***di** sera* (le soir) ; ***di** notte* (la nuit)

- la manière :
  ***di** nascosto* (en cachette)
  ***di** corsa* (en courant)
  *povero **di**, ricco **di*** (pauvre en, riche en)

- le moyen :
  *Vive **di** espedienti.* (Il vit d'expédients.)
  *Si nutre **di** verdura e basta.* (Elle se nourrit de légumes et c'est tout.)

- l'abondance ou le manque :
  *una borsa piena **di** libri* (un sac rempli de livres)
  *Le persone anziane mancano **di** affetto.* (Les personnes âgées manquent d'affection.)

- la progression :
  ***di** giorno in giorno* (de jour en jour)
  ***di** città in città* (de ville en ville)
  ***di** bene in meglio* (de mieux en mieux)

- l'origine, la provenance (sans article) :
  *Sono **di** Torino.* (Je suis de Turin.)
  *È uscito **di** farmacia.* (Il est sorti de la pharmacie.)

- le lieu par où l'on passe (avec un adverbe) :
  ***di** qui ; **di** qua* (par ici)
  ***di** là* (par là)

- la cause (sans article) :
  *Tremava **di** freddo.* (Elle tremblait de froid.)

Rappelons :

– que ***di*** est utilisé dans les comparatifs (▷ voir page 31) :

*La mia macchina è più vecchia **della** tua.*
(Ma voiture est plus vieille que la tienne.)

– qu'il est utilisé avec les verbes ***sperare***, ***affermare***, ***pretendere***, ***sapere*** et avec les verbes d'opinion suivis d'un infinitif :

*Spero **di** poter venire.* (J'espère pouvoir venir.)
*Penso **di** far bene.* (Je pense bien faire.)

La préposition « de » n'est pas traduite :

– dans l'expression correspondant au français « moins de », « plus de », « rien de » :

meno promesse (moins de promesses)
nient'altro (rien d'autre)

– dans les tournures impersonnelles suivies d'un infinitif :

È difficile sapere la verità. (Il est difficile de savoir la vérité.)

4. *Con*

La valeur fondamentale de ***con*** est l'addition, l'union. Il exprime :

- l'union, l'accompagnement :

  *Vado **con** Nicola.* (Je vais avec Nicola.)
  *caffè **con** panna* (café à la crème Chantilly)

- la relation :

  *Si è sposato **con** una straniera.* (Il s'est marié avec une étrangère.)

- le moyen :

  *Sono venuto **con** la macchina.* (Je suis venu en voiture.)
  *Mi salutò **con** la mano.* (Il me salua de la main.)

- la manière :

  *Tu lavori **con** passione.* (Tu travailles avec passion.)
  *Parla **con** voce forte.* (Il parle d'une voix forte.)

- l'attitude du corps (en ce cas, pas de préposition en français) :

  *Camminava **con** la testa alta.* (Il marchait la tête haute.)
  ***con** le braccia conserte* (les bras croisés)

- la substitution, le remplacement :

  *Ho sostituito le poltrone **con** un divano bianco.*
  (J'ai remplacé les fauteuils par un divan blanc.)

5. *Per*

Traduit très souvent le français « par » ou « pour ».
Il indique :

- le lieu par où l'on passe, l'endroit par où l'on prend quelque chose :
  passare ***per*** *Roma* (passer par Rome)
  per *monti e* ***per*** *valli* (par monts et par vaux)
  L'ha preso ***per*** *il colletto.* (Il l'a pris par le col.)

- la manière :
  per *caso* (par hasard)
  per *fortuna* (heureusement, par chance)

- le moyen :
  per *telefono* (par téléphone)
  Mi ha avvertito ***per*** *telegramma.* (Il m'a prévenu par télégramme.)

- la distribution :
  in fila ***per*** *due* (en rang par deux)
  dividere ***per*** *classi* (diviser par classes)
  Entrate uno ***per*** *volta.* (Entrez un à la fois.)

- la destination, le but :
  Parto ***per*** *Milano.* (Je pars pour Milan.)
  Lo faccio ***per*** *te.* (Je le fais pour toi.)

- la durée, le temps déterminé, la succession dans le temps :
  È stata direttrice ***per*** *due anni.* (Elle a été directrice pendant deux ans.)
  Li ho invitati ***per*** *domenica.* (Je les ai invités pour dimanche.)
  Vivere giorno ***per*** *giorno.* (Vivre au jour le jour.)

- la cause, le motif, la faute :
  Lo so ***per*** *esperienza.* (Je le sais par expérience.)
  soffrire ***per*** *la lontananza* (souffrir de l'éloignement)
  È stato condannato ***per*** *omicidio.* (Il a été condamné pour homicide.)

- le futur proche avec le verbe ***stare*** :
  Sto ***per*** *partire.* (Je vais partir.)

- la mesure
  La strada è interrotta ***per*** *tre km.* (La route est barrée sur trois km.)

6. *In*

Exprime :

- le lieu où l'on est – très souvent sans article (français « à ») :
  Sarò ***in*** *ufficio.* (Je serai au bureau.)
  Sarò ***in*** *farmacia.* (Je serai à la pharmacie.)
  in *campagna* (à la campagne) ; ***in*** *città* (en ville)
  Abito ***in*** *via Puccini.* (J'habite rue Puccini.)

Mais :
Il gatto è nell'armadio. (Le chat est dans l'armoire.)

- le mouvement vers un lieu, dans un lieu :
  Vado ***in*** *Francia.* (Je vais en France.)
  Vado ***in*** *giardino.* (Je vais au jardin.)
  Vado ***in*** *città.* (Je vais en ville.)
  passeggiare ***nei*** *boschi* (se promener dans les bois)

- le temps déterminé :
  È nata ***nel*** *1978.* (Elle est née en 1978.)
  nel *mese di dicembre* (au mois de décembre)
  nel *Novecento* (au XXe siècle)

- le temps considéré en lui-même, nécessaire pour accomplir une action :
  È un libro che si legge ***in*** *tre ore.* (C'est un livre qui se lit en trois heures.)

- ***in*** + infinitif substantivé (***nel***, ***nello***) introduit une proposition subordonnée qui correspond, en général, au gérondif :
  Ho strappato la gonna ***nello*** *scendere di macchina.*
  (J'ai déchiré ma jupe en descendant de voiture.)

Remarque

Pour l'emploi de ***in*** + numéral cardinal, ***in*** + ***quanti*** ou ***tanti*** ▷ voir page 74.

7. *Tra* ou *fra*

Ces prépositions ont le même sens : « entre », « parmi », « dans », « au milieu de ». On choisit l'une ou l'autre pour des raisons d'euphonie ; on dira donc :
fra *Venezia e Padova* (entre Venise et Padoue)

et :
tra *Francia ed Italia* (entre la France et l'Italie)
una cena ***tra*** *amici* (un dîner entre amis)
È tornato ***tra*** *noi.* (Il est revenu parmi nous.)
tra *la folla* (dans la foule)

Elles indiquent également :

- un intervalle (spatial ou temporel), la distance qui doit être parcourue :
  ***Fra** dieci chilometri, c'è l'uscita per Portofino.*
  (Dans dix kilomètres, il y a la sortie pour Portofino.)

- le temps d'attente qui doit s'écouler avant un fait (▷ voir page 109) :
  *Parto **fra** un mese.* (Je pars dans un mois.)
  ***fra** tre giorni* (dans trois jours)

8. Les autres prépositions

su, sopra (sur)	***senza*** (sans)
sotto (sous)	***dopo*** (après)
contro (contre)	***secondo*** (selon)
dietro (derrière)	***nonostante*** (malgré)
dentro (dans)	***salvo*** (sauf)
verso (vers)	***tranne*** (sauf)
lungo (le long de)	***eccetto*** (sauf)

Locutions prépositives :

accanto a (à côté de)	***fino a*** (jusqu'à)
vicino a (à côté de)	***sino a*** (jusqu'à)
intorno a (autour de)	***prima di*** (avant)
in mezzo a (au milieu de)	***invece di*** (au lieu de)
nel mezzo di (au milieu de)	***fuori di*** (hors de)
di fronte a (en face de)	***lontano da*** (loin de)
davanti a (devant)	***fin da*** (à partir de, dès)
dietro a (derrière)	***sin da*** (à partir de, dès)

Lei è prima di me. (Vous êtes avant moi.)
Si è seduto accanto a me. (Il s'est assis à côté de moi.)
Il cinema è lontano dalla stazione. (Le cinéma est loin de la gare.)
Ci sono tante case lungo il fiume. (Il y a beaucoup de maisons le long du fleuve.)

Remarque

Lorsque les prépositions ***su (sopra), sotto, dopo, senza, contro, dietro*** et ***dentro*** sont suivies d'un pronom personnel, on ajoute la préposition ***di*** :
dietro di *te* (derrière toi)
Dopo di *me il diluvio !* (Après moi le déluge !)
Lo dicevo ***dentro di*** *me.* (Je le disais en moi-même.)

EXERCICES

❶ Compléter les phrases par les prépositions qui conviennent :

1. La rappresentazione si svolse ... presenza del presidente della Repubblica.
2. La villa aveva tre grandi sale ... pianterreno.
3. L'alpinista fu abbagliato ... sole.
4. Parlava ... una lingua incomprensibile.
5. Passava un gatto ... la coda ... punto interrogativo.
6. Era bagnato ... capo ... piedi.
7. Hai preso il pane ... fornaio ?
8. La trasmissione è stata preceduta ... un'intervista.
9. Sono bicchieri ... cristallo.
10. Prendete una fetta di torta ... persona.
11. Vuoi una tazza ... caffè ?
12. Hanno mandato ... onda un'edizione speciale.
13. È risultata la migliore ... tutte le altre concorrenti.
14. Lo spettacolo era ... favore degli orfani.
15. Vengono tutti ... altri quartieri.
16. Cantava ... mezza voce.
17. Quanto denaro hai ... te ?
18. Ho mandato la lettera ... via aerea.
19. Non esce mai ... confini dell'Italia.
20. Si sapeva che era battuto ... partenza.
21. Indossava un vestito ... colori vivaci.
22. È totalmente diverso ... me.
23. È partito ... le quattro.
24. Tremava ... rabbia contenuta.
25. Non lavora ... domenica.
26. Va in Italia tre volte ... anno.
27. ... giovani, andavano sempre ... montagna.
28. Si è comprato un orologio ... oro.
29. È stato sostituito ... un collega.
30. Moriva ... la voglia di andar via.
31. Sono commercianti ... parecchie generazioni.
32. È sempre ... ritardo.
33. L'ho incontrato ... caso.
34. Un pezzo di carta faceva ... coperchio al barattolo.
35. È partito ... l'Italia.
36. Guardavano attraverso le porte ... vetri.
37. Sia detto ... noi, questo professore è antipatico.
38. Prenderò gli spaghetti ... scoglio.
39. Si pettinava ... aria pensierosa.
40. Non è venuto ... motivi di salute.

❷ Compléter les phrases par les prépositions qui conviennent :

1. Abitava ... via Roma.
2. Aveva studiato tutto ... memoria.

3. La macchina era parcheggiata ... altro lato della via.
4. Vado ... comprare una videocassetta.
5. È un palazzo ... dieci piani.
6. L'ho saputo ... giornali.
7. Non dimenticare gli occhiali ... vista !
8. Non funziona più la macchina ... scrivere ?
9. Telefona a Marco ... riprova di quanto ti ho detto !
10. Camminava ... le mani in tasca.
11. Entrò un ragazzo ... camicia rossa.
12. È venuto ... treno.
13. Tutti i nomi sono scritti ... ordine alfabetico.
14. Ci andrò ... bicicletta.
15. Andrò a Milano ... mese di ottobre.
16. È una medicina ... prendere a colazione.
17. Ha votato ... favore di questo candidato.
18. Parlava ... voce rauca.
19. Sono passati ... San Gimignano prima di andare a Siena.
20. Devi comprare un orologio ... quarzo ; è più comodo.
21. Si è sposata ... 1987.
22. Proviene ... una famiglia nobile, lo sapevi ?
23. L'ho fatto ... scopo di aiutarti.
24. Abita a sessanta chilometri ... Firenze.
25. Indossava una camicetta ... seta.
26. Lontano ... occhi, lontano ... cuore.
27. L'ho visto mentre saliva ... autobus.
28. Ha fatto ... padre a questa bambina.
29. ... estate, non va più ... montagna, va ... campagna.
30. È passato ... qui ?
31. Fece un cenno ... la testa.
32. Teneva il bambino ... braccio.
33. Questo giornalista sarà mandato ... Marocco o ... Creta.
34. È amato e rispettato ... tutti.
35. Il dottore è ... ambulatorio ... le 16 e le 20.
36. È tornato ... Stati Uniti ieri sera.
37. Ha sostituito il tavolo ... noce ... un tavolo ... vetro.
38. È rimasto in Italia ... tre mesi.
39. Non ha niente ... fare oggi ?
40. Prenderò le fragole ... panna.
41. È un vestito ... uomo.
42. Vorrei dieci francobolli ... 0,80 euro.
43. Scriveva ... la schiena curva sul tavolo.
44. Era una villetta ... aria abbandonata.
45. Mi seguiva ... lo sguardo.
46. Trovavate i Puffi[1] ... pagine del « Corriere dei piccoli ».

Voir corrigés page 179.

1. **i Puffi** : les Schtroumpfs.

9. L'expression du temps

- On emploie la préposition ***in*** pour exprimer la durée nécessaire pour faire quelque chose ou pour indiquer une période de temps considérée en elle-même :

  *Ha fatto questa maglia **in** una settimana.* (Elle a fait ce pull en une semaine.)
  ***In** un'ora ci sono sessanta minuti.* (Dans une heure, il y a soixante minutes.)

- La préposition ***da*** précise le point de départ d'une action qui dure encore ou qui commencera. Elle traduit le français « depuis », « il y a... que » ou l'expression « à partir de » :

  *Abito a Roma **da** due anni.*
  (J'habite à Rome depuis deux ans / Il y a deux ans que j'habite à Rome.)
  *Faremo questa promozione **da** domani.*
  (Nous ferons cette promotion à partir de demain.)

→ **N.B.** On peut employer la tournure avec le verbe ***essere*** + ***che*** pour indiquer que l'action dure encore :

  ***È** un mese **che** non scrive più.* (Il y a un mois qu'il n'écrit plus.)
  ***Erano** anni **che** Giulia passava le ferie a Rimini.*
  (Il y avait des années que Giulia passait ses vacances à Rimini.)

- ***Fin da*** traduit le français « dès » :

  ***fin dall'**infanzia* (dès l'enfance...)

- L'expression de temps suivie du verbe ***fare*** employé impersonnellement (***fa***) indique le temps écoulé depuis une action qui est terminée. (français : « il y a » + expression de temps ; italien : expression de temps + ***fa***) :

  Ha dato l'esame di storia due mesi fa.
  (Il a passé son examen d'histoire il y a deux mois.)

- La préposition ***per*** sert à indiquer la durée, la période pendant laquelle une action s'est déroulée, se déroule ou se déroulera :

  *È rimasto a Parigi **per** due anni.*
  (Il est resté [pendant] deux ans à Paris.)
  *Faremo questa promozione **per** cinque giorni.*
  (Nous ferons cette promotion pendant cinq jours.)
  *Parto **per** una settimana.* (Je pars pour une semaine.)

- ***Fra*** s'emploie pour indiquer la limite d'un temps d'attente, le temps qui doit s'écouler avant une action (▷ voir page 106) :

  *Arriverà **fra** tre giorni.* (Il arrivera dans trois jours.)

- ***Entro*** indique un délai :

  *Mi deve consegnare la merce **entro** la fine del mese.*
  (Vous devez me livrer la marchandise avant la fin du mois.)

EXERCICES

❶ Traduire :

1. Je ne le vois plus depuis trois jours.
2. Il est parti il y a quatre mois.
3. Dès son arrivée, il a commencé à tout critiquer.
4. Il faut finir ce travail avant le 30.
5. Il est parti pour cinq jours.
6. Nous sommes restés sans nouvelles pendant deux mois.
7. Il y a deux heures que je n'arrête pas de te le dire.
8. C'est décidé, je ne fume plus à partir de ce soir.
9. Ils se sont mariés il y a dix ans.
10. Il n'a pas plu pendant tout l'été.
11. Dans trois mois tu auras seize ans.
12. Le bureau est ouvert de 9 heures à 14 heures.
13. Il a vendu sa moto il y a un mois.
14. Depuis ce moment-là, il n'est plus le même.
15. Il y a trois ans qu'ils ne se voient plus.

❷ Choisir l'expression qui convient pour compléter les phrases suivantes :

1. É partito
   a) in un'ora b) domani c) un'ora fa
2. Farò una dieta
   a) ieri b) in cinque minuti c) da domani
3. La merce sarà spedita
   a) entro domani. b) ieri. c) due ore
4. Sono rimasti alle Seychelles
   a) stasera b) per una settimana c) da domani
5. Prenderemo il treno
   a) fra un'ora b) in un'ora c) da un'ora
6. Ha studiato il pianoforte
   a) entro quindici giorni b) fin dall'infanzia c) è un mese
7. Non l'ho visto
   a) una settimana b) da oggi c) da due giorni
8. Il negozio chiude
   a) un'ora fa b) alle 19.30 c) da cinque minuti
9. Sono partiti
   a) domani b) per una settimana c) fra un'ora
10. Lo sto chiamando al telefono
    a) per un'ora b) in due ore c) da dieci minuti
11. Non ho scritto né telefonato
    a) per quindici giorni b) fino all'anno prossimo c) per sempre

Voir corrigés page 179.

19 Les conjonctions

e (et)	***ché*** (parce que, car)
o (ou)	***perché*** (parce que, pour que)
oppure (ou bien)	***affinché*** (afin que)
eppure (pourtant)	***poiché*** (puisque)
tuttavia (pourtant)	***siccome*** (comme)
ora (or)	***dato che*** (étant donné que)
ma (mais)	***se*** (si)
però (cependant)	***finché*** (tant que, jusqu'à ce que)
né... né (ni... ni)	***fino a quando*** (jusqu'au moment où)
dunque (donc)	***benché*** (bien que)
infatti (en effet)	***sebbene*** (quoique)
quindi (alors, par conséquent)	***nonostante*** (quoique)
che (que)	***quantunque*** (quoique)
quando (quand, lorsque)	***prima che*** (avant que)
mentre (pendant que, tandis que, alors que)	***(non) appena*** (dès que)

1. Les conjonctions de coordination

- ***E*** (« et »). On peut ajouter un ***d*** épenthétique devant un mot commençant par ***e*** pour une question d'euphonie :

  __Ed__ ecco Giorgio. (Et voici Georges.)

  __Ed__ è semplice. (Et c'est simple.)

Signalons qu'en italien on ne reprend pas la conjonction de subordination par « et que » mais seulement par ***e***.

Siccome piove __e__ fa freddo non si uscirà.
(Comme il pleut et qu'il fait froid, on ne sortira pas.)

- La conjonction ***né*** (à ne pas confondre avec le pronom neutre ***ne***) se comporte comme ***nessuno***, ***niente*** : si elle suit le verbe, la négation ***non*** est nécessaire :

  ***Non** voglio **né** mangiare **né** bere.* (Je ne veux ni manger ni boire.)

Si ***né*** précède le verbe, pas d'autre négation :

***Né** lui, **né** mia sorella vengono.* (Ni lui, ni ma sœur ne viennent.)

Rappelons que la conjonction ***né***, surtout en tête de phrase, n'a souvent que la valeur de coordination entre deux négatives : « et ne... pas » :

*Non ho comprato niente **né** sono andata dal medico.*
(Je n'ai rien acheté et je ne suis pas allée chez le médecin.)

● ***O*** (« ou ») est une conjonction qui marque une séparation ou une alternative entre les termes qu'elle relie. Elle peut avoir valeur d'explication :

*L'epigrafia **o** scienza delle iscrizioni antiche...*
(L'épigraphie ou science des inscriptions antiques...).

● ***Ma*** est une conjonction qui marque une opposition. Il ne faut pas la confondre avec l'interjection ***mah !*** ou ***ma !*** (« ma foi ! », « ben ! ») :

*Sono andata da lui **ma** non c'era.*
(Je suis allée chez lui mais il n'était pas là.)

2. Les conjonctions de subordination

● Certaines formes sont identiques pour les conjonctions et les adverbes interrogatifs :

*Pioveva **quando** è partito.* (Il pleuvait quand il est parti.)
***Quando** parti ?* (Quand pars-tu ?)
*Sono in ritardo **perché** ho perso l'autobus.*
(Je suis en retard parce que j'ai raté l'autobus.)
***Perché** sei in ritardo ?* (Pourquoi es-tu en retard ?)

● Quelques conjonctions sont toujours suivies de l'indicatif : ***mentre*** (« tandis que »), ***siccome***, ***dato che*** (« comme », « puisque »).

D'autres sont toujours employées avec le subjonctif : ***prima che*** (« avant que »), ***a meno che*** (« à moins que »), ***affinché*** (« afin que »), ***benché***, ***sebbene***, ***nonostante*** (« bien que ») en respectant la concordance des temps (▷ voir page 163).

D'autres sont suivies du subjonctif ou de l'indicatif selon le sens :

*Questa valigia è troppo pesante **perché tu possa** portarla.*
(Cette valise est trop lourde pour que tu puisses la porter.)
*Sono contento **perché è venuto** con i suoi amici.*
(Je suis content parce qu'il est venu avec ses amis.)

a) La conjonction *che*

● Elle traduit le français « que » dans les complétives et elle est construite avec l'indicatif, le subjonctif ou le conditionnel :

*Ti ho già detto **che era** partito.*
(Je t'ai déjà dit qu'il était parti.)
*Pensavo **che tu fossi** malata.*
(Je pensais que tu étais malade.)

▷ Pour l'emploi du subjonctif, voir page 160.

- Elle a valeur d'explication après une injonction (on la supprime en français) :

    Chiudi la finestra ***che*** *fa freddo.* (Ferme la fenêtre, il fait froid.)

- Elle peut avoir une valeur temporelle (français : « alors que ») ou bien la valeur du relatif « où » :

    Venne ***che*** *ero ancora a letto.*
    (Il vint alors que j'étais encore au lit.)
    La mattina ***che*** *l'ho visto, stava bene.*
    (Le matin où je l'ai vu, il allait bien.)

- Elle exprime l'interrogative avec doute :

    Il direttore non è arrivato, ***che*** *sia malato ?*
    (Le directeur n'est pas arrivé, serait-il malade ?)

→ **N.B.** La conjonction « que » avec valeur de reprise est supprimée en italien :

Dato che piove e non abbiamo niente da fare, andiamo al cinema ?
(Puisqu'il pleut et qu'on n'a rien à faire, on va au cinéma ?)

b) La conjonction *se*

- On l'utilise dans la subordonnée hypothétique et elle traduit le français « si » (▷ voir page 168) :

    Se *avrò tempo, verrò a trovarti.*
    (Si j'ai le temps, je viendrai te voir.)

- ***Se*** peut être renforcé par ***mai*** :

    Semmai *vincessi al « gratta e vinci »...*
    (Si jamais je gagnais à un grattage...)

- Elle peut avoir la valeur causale de « puisque » en réponse à une présupposition :

    Ma ***se*** *è troppo tardi per fare la domanda d'iscrizione !*
    (Mais puisque c'est trop tard pour faire la demande d'inscription !)

c) La conjonction *perché*

Elle exprime :

- la cause réelle ; elle est suivie de l'indicatif et a le sens de « parce que » :

    L'ha fatto ***perché*** *aveva voglia di farlo.*
    (Il l'a fait parce qu'il avait envie de le faire.)

- la cause niée (subjonctif en italien) :

    Ti ho telefonato ***non perché*** *fossi preoccupato ma* ***perché*** *volevo sentire la tua voce.* (Je t'ai téléphoné non pas parce que j'étais inquiet mais parce que je voulais entendre le son de ta voix.)

- le but pour traduire le français « pour que » + subjonctif :

  Lavorerà stanotte perché tutto sia pronto domani.

  (Il travaillera cette nuit pour que tout soit prêt demain.)

- la conséquence + subjonctif :

  *È troppo furbo **perché** tu possa ingannarlo.*

  (Il est trop malin pour que tu puisses le tromper.)

- l'interrogation indirecte :

  *Vorrei sapere **perché** sei arrivato molto tardi.*

  (Je voudrais savoir pourquoi tu es arrivé très tard.)

d) **La conjonction *finché***

Elle peut être suivie de l'indicatif ou du subjonctif.

- Elle a le sens de « tant que » lorsque les deux actions, principale et subordonnée sont simultanées et de durée égale :

  *Mi ricorderò di quello che è successo **finché** vivrò.*

  (Je me souviendrai de ce qui est arrivé tant que je vivrai.)

- Elle traduit « jusqu'à ce que » ou « tant que » + négation lorsque la subordonnée limite la principale à un but ou à un terme donné. Elle est suivie du subjonctif si la subordonnée a une valeur de potentialité :

  *Aspetterà **finché** (non) lo chiamino.*

  (Il attendra jusqu'à ce qu'ils l'appellent.)

  *Lavorerò **finché** (non) tornerete.*

  (Je travaillerai tant que vous ne reviendrez pas/jusqu'à ce que vous reveniez.)

→ **N.B.** Dans le deuxième cas, l'emploi de ***non*** est obligatoire après ***finché*** lorsque la principale est négative :

  *Non dovresti decidere niente **finché non** ti avrà dato una risposta.*

  (Tu ne devrais rien décider tant qu'il ne t'a pas donné de réponse.)

EXERCICES

❶ Traduire :

1. C'est un sport dangereux et extrême.
2. Ni lui ni moi ne viendrons.
3. Je ne peux pas et je ne veux pas l'aider.
4. Tu restes à la maison ou bien tu sors ?
5. Il ne boit ni vin ni bière.
6. J'ai bien compris ou je me trompe ?
7. Cela n'a ni queue ni tête.
8. Ni aujourd'hui ni demain, je ne pourrai venir.

❷ Réunir les deux éléments des colonnes afin de faire des phrases qui aient un sens :

1. I viaggiatori aspettano *mentre*
2. Farò lunghe passeggiate *non appena*
3. Si svegliò *che*
4. Lavora *nonostante*
5. Hai preso la macchina *mentre*
6. Non verrà *poiché*
7. Diglielo *prima che*
8. Rimase sul marciapiede *fino a quando*
9. Staccano il telefono *perché*
10. Non è stato assunto *sebbene*
11. Voglio *che*
12. Lo credevo sincero *mentre*
13. È meglio viaggiare *finché*
14. Vostro padre è contento *perché*
15. Non ti ho scritto *perché*

A. abbia la febbre.
B. nessuno li disturbi.
C. abbia fatto una buona impressione.
D. la macchina non partì.
E. avevo troppo lavoro.
F. tu venga.
G. i doganieri controllano i bagagli.
H. era già giorno.
I. mi ha ingannato.
J. ottenete buoni risultati.
K. si è giovani.
L. è partito stamattina.
M. potevi prendere benissimo l'autobus.
N. sia troppo tardi.
O. farà bel tempo.

❸ Traduire :

1. Je leur ai donné tous les renseignements afin qu'ils y aillent tout de suite.
2. Tu peux passer chez nous pendant que tu visiteras la Toscane.
3. Comme il m'a invité, j'irai chez lui.
4. J'ai su qu'il partait avant qu'il ne le dise à ses amis.
5. Je ne comprends pas pourquoi tu es si nerveux.
6. Elle vous fait croire qu'elle a cinquante ans alors qu'elle en a soixante.
7. Il s'inquiète que vous n'ayez pas répondu à sa lettre.
8. Répète la leçon tant que tu ne l'auras pas apprise.
9. Tant qu'il y a de la vie il y a de l'espoir.
10. Pendant que les autres ont froid, allez bronzer au Maroc.
11. Ne pars pas tant qu'il n'est pas revenu.
12. Mais puisque c'est trop tard pour faire la demande !
13. Cette valise est trop lourde pour que tu puisses la porter.
14. Je comprends que tu sois inquiète.
15. Je vais lui dire, à moins qu'il soit déjà parti.
16. Comme elle n'a pas d'amis et qu'elle vit seule, elle s'ennuie.
17. Les Rossi ne répondent pas au téléphone, seraient-ils partis ?
18. S'il fait beau et si tu as le temps, nous pourrons sortir.
19. Il était calme, peut-être ne le savait-il pas encore ?
20. J'attends jusqu'à ce que vous ayez fini.

Voir corrigés page 179.

20 Les verbes auxiliaires

1. *Essere* (être)

Présent de l'indicatif	Impératif	Passé composé
sono		*sono stato, -a*
sei	*sii*	*sei stato, -a*
è	*sia*	*è stato, -a*
siamo	*siamo*	*siamo stati, -e*
siete	*siate*	*siete stati, -e*
sono	*siano*	*sono stati, -e*

Imparfait de l'indicatif	Futur	Conditionnel
ero	*sarò*	*sarei*
eri	*sarai*	*saresti*
era	*sarà*	*sarebbe*
eravamo	*saremo*	*saremmo*
eravate	*sarete*	*sareste*
erano	*saranno*	*sarebbero*

Passé simple présent	Subjonctif présent	Subjonctif imparfait
fui	*sia*	*fossi*
fosti	*sia*	*fossi*
fu	*sia*	*fosse*
fummo	*siamo*	*fossimo*
foste	*siate*	*foste*
furono	*siano*	*fossero*

Gérondif
essendo

2. *Avere* (avoir)

Présent de l'indicatif	Impératif	Passé composé
ho		*ho avuto*
hai	*abbi*	*hai avuto*
ha	*abbia*	*ha avuto*
abbiamo	*abbiamo*	*abbiamo avuto*
avete	*abbiate*	*avete avuto*
hanno	*abbiano*	*hanno avuto*

Imparfait de l'indicatif	Futur	Conditionnel
avevo	*avrò*	*avrei*
avevi	*avrai*	*avresti*
aveva	*avrà*	*avrebbe*
avevamo	*avremo*	*avremmo*
avevate	*avrete*	*avreste*
avevano	*avranno*	*avrebbero*

Passé simple présent	Subjonctif présent	Subjonctif imparfait
ebbi	*abbia*	*avessi*
avesti	*abbia*	*avessi*
ebbe	*abbia*	*avesse*
avemmo	*abbiamo*	*avessimo*
aveste	*abbiate*	*aveste*
ebbero	*abbiano*	*avessero*

Gérondif
avendo

21 Les verbes réguliers

1. Première conjugaison : *comprare* (acheter)

Présent de l'indicatif	Impératif	Passé composé
*compr **o***		*ho compr**ato***
*compr **i***	*compr **a***	*hai comprato*
*compr **a***	*compr **i***	*ha comprato*
*compr **iamo***	*compr **iamo***	*abbiamo comprato*
*compr **ate***	*compr **ate***	*avete comprato*
*compr **ano***	*compr **ino***	*hanno comprato*

Imparfait de l'indicatif	Futur	Conditionnel
*compr **avo***	*compr **erò***	*compr **erei***
*compr **avi***	*compr **erai***	*compr **eresti***
*compr **ava***	*compr **erà***	*compr **erebbe***
*compr **avamo***	*compr **eremo***	*compr **eremmo***
*compr **avate***	*compr **erete***	*compr **ereste***
*compr **avano***	*compr **eranno***	*compr **erebbero***

Passé simple présent	Subjonctif présent	Subjonctif imparfait
*compr **ai***	*compr **i***	*compr **assi***
*compr **asti***	*compr **i***	*compr **assi***
*compr **ò***	*compr **i***	*compr **asse***
*compr **ammo***	*compr **iamo***	*compr **assimo***
*compr **aste***	*compr **iate***	*compr **aste***
*compr **arono***	*compr **ino***	*compr **assero***

Gérondif
*compr**ando***

Remarques sur les verbes réguliers de la 1re conjugaison

a) Les verbes en *-iare*

- Si le ***i*** du radical est accentué, il reste devant le ***i*** de la désinence :
  inviare → *in**vii*** (tu envoies)

  *Bisogna che in**vii**no questo pacco.* (Il faut qu'ils envoient ce paquet.)

Il tombe quand il est en position atone devant la désinence qui commence par ***i*** (1re personne du pluriel de l'indicatif et 1re et 2e personnes du pluriel du subjonctif présent) :
inviamo → *(che) inviate*

- Si le ***i*** du radical n'est pas accentué il tombe devant les désinences qui commencent par ***i*** :

studiare →	*studi**-o***	*gonfiare* →	*gonfi**-o***
	*stud**-i***		*gonf**-i***
	*studi**-a***		*gonfi**-a***
	etc.		*etc.*

b) Les verbes en *-ciare* ou *-giare*

Ils perdent le ***i*** du radical devant ***e*** et ***i*** des désinences, le ***i*** n'étant plus nécessaire pour faire les sons [tʃ] ou [dʒ] (▷ voir page 7) :

cominciare →	*cominci**-o***	mais →	*cominc**-erò***
mangiare →	*mangi**-o***	mais →	*mang**-erò***
*mangi**-amo***		mais →	*mang**-i***

c) Les verbes en *-gliare*

Ils perdent le ***i*** du radical uniquement lorsque la désinence commence par ***i*** :
consigliare →

présent :	*consigli**-o***	futur :	*consigli**-erò***
	*consigl**-i***	subjonctif :	*consigl**-i***
	*consigl**-iamo***		

d) Les verbes en *-care* et *-gare*

Ils ont besoin d'un ***h*** entre le radical et les désinences qui commencent par ***e*** ou ***i*** pour conserver le son vélaire [k] ou [g] (▷ voir page 7) :

	Présent indicatif	Futur	Subjonctif
giocare →	*gioco*	*gioc**h**erò*	*gioc**h**i*
	*gioc**h**i*	*gioc**h**erai*	...
	gioca	...	
pagare →	*pago*	*pag**h**erò*	*pag**h**i*
	*pag**h**i*	*pag**h**erai*	...
			etc.

2. Deuxième conjugaison : *credere* (croire)

Présent de l'indicatif	Impératif	Passé composé
cred ***o***		*ho cred**uto***
cred ***i***	*cred* ***i***	*hai creduto*
cred ***e***	*cred* ***a***	*ha creduto*
cred ***iamo***	*cred* ***iamo***	*abbiamo creduto*
cred ***ete***	*cred* ***ete***	*avete creduto*
cred ***ono***	*cred* ***ano***	*hanno creduto*

Imparfait de l'indicatif	Futur	Conditionnel
cred ***evo***	*cred* ***erò***	*cred* ***erei***
cred ***evi***	*cred* ***erai***	*cred* ***eresti***
cred ***eva***	*cred* ***erà***	*cred* ***erebbe***
cred ***evamo***	*cred* ***eremo***	*cred* ***eremmo***
cred ***evate***	*cred* ***erete***	*cred* ***ereste***
cred ***evano***	*cred* ***eranno***	*cred* ***erebbero***

Passé simple présent	Subjonctif présent	Subjonctif imparfait
cred ***ei*** *(*ou *cred* ***etti****)*	*cred* ***a***	*cred* ***essi***
cred ***esti***	*cred* ***a***	*cred* ***essi***
cred ***é*** *(cred* ***ette****)*	*cred* ***a***	*cred* ***esse***
cred ***emmo***	*cred* ***iamo***	*cred* ***essimo***
cred ***este***	*cred* ***iate***	*cred* ***este***
cred ***erono*** *(crede**ttero**)*	*cred* ***ano***	*cred* ***essero***

Gérondif
*cred**endo***

Remarques sur la 2e conjugaison

a) Le passé simple

À la première et à la troisième personne du singulier et à la troisième personne du pluriel, les désinences en ***-ei***, ***-é***, ***-erono*** peuvent être remplacées respectivement par ***-etti***, ***-ette***, ***-ettero*** ; toutefois, ces formes sont à éviter lorsque le radical du verbe se termine par ***-t***. On dira donc pour éviter une suite de ***t*** :

*pot**ei**, pot**é**, pot**erono***, de même *riflett**ei**, riflett**é**, rifflett**erono***

à l'exception de :

assistere, insistere, resistere qui font *assistetti, insistetti, resistetti.*

b) Les verbes en *-cere* et *-gere*

Ils modifient le son [tʃ] ou [dʒ] en son vélaire [k] ou [g] devant les désinences qui commencent par ***-a*** et ***-o***. Ainsi ***vincere*** donne *vin**co***, *vin**ca*** mais ***vinci*** (« tu gagnes »), *vin**ciamo*** (« nous gagnons »).

EXCEPTION Le verbe ***cuocere*** (« cuire ») conserve le son [tʃ] devant ***-a*** et ***-o*** en ajoutant un ***i*** entre le radical et la désinence.

Indicatif présent	Subjonctif présent
cuocio	*cuocia*
cuoci	*cuocia*
cuoce	*cuocia*
cuociamo	*cuociamo*
cuocete	*cuociate*
cuociono	*cuociano*

→ **N.B.** Le verbe ***piacere*** (« plaire ») se conjugue comme ***cuocere*** en alternant consonne simple et consonne double au présent de l'indicatif et du subjonctif.

Indicatif présent	Subjonctif présent
*pia**cc**io*	*pia**cc**ia*
piaci	*pia**cc**ia*
piace	*pia**cc**ia*
*pia**cc**iamo*	*pia**cc**iamo*
piacete	*pia**cc**iate*
*pia**cc**iono*	*pia**cc**iano*

Remarquons, en outre, que l'on ajoute un ***i*** graphique aux formes du participe passé des verbes en ***-cere*** pour conserver le son [tʃ].

piacere → piaciuto *crescere → cresciuto*

c) Les verbes possédant la semi-consonne *uo* (comme ***muovere***, ***riscuotere***)

Ils la conservent lorsqu'elle se trouve en position tonique. Non accentuée, elle se réduit à ***o*** :

*m**uo**vo, m**uo**vi, m**uo**ve, m**uo**vono* mais : *m**o**viamo, m**o**vete*

Il en est de même pour les verbes comme ***possedere***, la semi-consonne ***ie*** apparaît lorsque le ***e*** est en position tonique :

*poss**ie**do, poss**ie**di, poss**ie**de, poss**ie**dono* mais : *poss**e**diamo, poss**e**dete*

3. Troisième conjugaison : *dormire* (dormir)

Présent de l'indicatif	Impératif	Passé composé
*dorm **o***		*ho dorm**ito***
*dorm **i***	*dorm **i***	*hai dormito*
*dorm **e***	*dorm **a***	*ha dormito*
*dorm **iamo***	*dorm **iamo***	*abbiamo dormito*
*dorm **ite***	*dorm **ite***	*avete dormito*
*dorm **ono***	*dorm **ano***	*hanno dormito*

Imparfait de l'indicatif	Futur	Conditionnel
*dorm **ivo***	*dorm **irò***	*dorm **irei***
*dorm **ivi***	*dorm **irai***	*dorm **iresti***
*dorm **iva***	*dorm **irà***	*dorm **irebbe***
*dorm **ivamo***	*dorm **iremo***	*dorm **iremmo***
*dorm **ivate***	*dorm **irete***	*dorm **ireste***
*dorm **ivano***	*dorm **iranno***	*dorm **irebbero***

Passé simple présent	Subjonctif présent	Subjonctif imparfait
*dorm **ii***	*dorm **a***	*dorm **issi***
*dorm **isti***	*dorm **a***	*dorm **issi***
*dorm **ì***	*dorm **a***	*dorm **isse***
*dorm **immo***	*dorm **iamo***	*dorm **issimo***
*dorm **iste***	*dorm **iate***	*dorm **iste***
*dorm **irono***	*dorm **ano***	*dorm **issero***

Gérondif
*dorm**endo***

Sur le modèle de ***dormire*** se conjuguent :

- ***avvertire*** (prévenir)
- ***divertire*** (amuser)
- ***fuggire*** (fuir, s'enfuir)
- ***offrire*** (offrir)
- ***partire*** (partir)
- ***seguire*** (suivre)
- ***sentire*** (entendre, sentir)
- ***vestire*** (habiller)
- ***soffrire*** (souffrir)

Remarques sur la 3e conjugaison

a) L'ajout de *-isc-*

Beaucoup de verbes de la 3e conjugaison intercalent entre le radical et la désinence le groupe ***-isc-*** au présent de l'indicatif et du subjonctif aux trois personnes du singulier et à la 3e personne du pluriel, ainsi qu'aux personnes de l'impératif dérivant de ces temps. Les autres temps sont réguliers.

Finire

Présent indicatif	Subjonctif présent	Impératif
*fin**isco***	*fin**isca***	
*fin**isci***	*fin**isca***	*fin**isci***
*fin**isce***	*fin**isca***	*fin**isca***
finiamo	*finiamo*	*finiamo*
finite	*finiate*	*finite*
*fin**isc**ono*	*fin**isc**ano*	*fin**isc**ano*

Sur le modèle de ***finire*** se conjuguent les verbes :

agire (agir)
capire (comprendre)
fornire (fournir)
guarire (guérir)
impedire (empêcher)
obbedire (obéir)
percepire (percevoir)
preferire (préférer)
sparire (disparaître)
subire (subir)
tradire (trahir, tromper)
unire (unir)

b) Les verbes finissant en *-gire*

Ils modifient le son [dʒ] en son vélaire [g] devant les désinences qui commencent par ***-a***, et ***-o***, comme les verbes en ***-gere*** de la deuxième conjugaison.

Ainsi ***fuggire*** donne *fuggo* (« je fuis »), mais *fuggiamo* (« nous fuyons ») (▷ voir Deuxième conjugaison, remarque 2, page 121).

c) Le verbe *cucire* (« coudre »)

Il conserve le son [tʃ] à toutes les personnes ; ainsi devant les désinences qui commencent par ***-a*** et par ***-o*** on introduit un ***i*** :

io cucio (je couds),
cuciamo (nous cousons),
che io cucia (que je couse)

22 Irrégularités

1. Les irrégularités au passé simple et au participe passé

Beaucoup de verbes, surtout ceux de la 2e conjugaison, ne sont irréguliers qu'au passé simple et au participe passé. En fait, ils ne sont irréguliers qu'à la 1re personne du singulier et à la 3e personne du singulier et du pluriel, avec des constantes.

- La 1re personne est toujours en ***-i***.
- La 3e personne du singulier est en ***-e*** (sans accent).
- La 3e personne du pluriel est en ***-ero***.

Prendere

Passé simple	Participe passé
presi	***preso***
prendesti (régulier)	
prese	
prendemmo (régulier)	
prendeste (régulier)	
presero	

Nascondere

Passé simple	Participe passé
nascosi	***nascosto***
nascondesti	
nascose	
nascondemmo	
nascondeste	
nascosero	

Les dérivés offrent, en général, les mêmes irrégularités.

accorrere, concorrere, soccorrere se conjuguent comme ***correre***.
ammettere, promettere se conjuguent comme ***mettere***, etc.

■ **Rappelons les verbes les plus importants :**

Infinitif	**1re pers. passé simple**	**Participe passé**
accendere (allumer)	*acce**si***	*acc**eso***
accorgersi (s'apercevoir)	*mi accor**si***	*acc**orto***
appendere (pendre)	*appe**si***	*app**eso***
alludere (faire allusion)	*allu**si***	*alluso*
cadere (tomber)	*ca**ddi***	*caduto* (régulier)
chiedere (demander)	*chie**si***	*chie**sto***
chiudere (fermer)	*chiu**si***	*chiu**so***
concludere (conclure)	*conclu**si***	*conclu**so***
confondere (confondre)	*confu**si***	*confu**so***
conoscere (connaître)	*cono**bbi***	*conosc**iuto***
correre (courir)	*cor**si***	*cor**so***
crescere (grandir, augmenter)	*cre**bbi***	*cresciu**to***
decidere (décider)	*deci**si***	*deci**so***
difendere (défendre)	*dife**si***	*dife**so***
dirigere (diriger)	*dire**ssi***	*dir**etto***
discutere (discuter)	*discu**ssi***	*discu**sso***
dividere (diviser)	*divi**si***	*divi**so***
emergere (émerger)	*emer**si***	*emer**so***
esplodere (exploser)	*esplo**si***	*esplo**se***
esprimere (exprimer)	*espre**ssi***	*espre**sso***
leggere (lire)	*le**ssi***	*le**tto***
mettere (mettre)	*mi**si***	*me**sso***
mordere (mordre)	*mor**si***	*mor**so***
muovere (bouger)	*mo**ssi***	*mo**sso***
nascere (naître)	*na**cqui***	*na**to***
nascondere (cacher)	*nasco**si***	*nasco**sto***
perdere (perdre)	*per**si***	*per**so**, perduto* (régulier)
piangere (pleurer)	*pian**si***	*pian**to***
prendere (prendre)	*pre**si***	*pre**so***
raggiungere (rejoindre)	*raggiun**si***	*raggiun**to***
rendere (rendre)	*re**si***	*re**so***
ridere (rire)	*ri**si***	*ri**so***
rispondere (répondre)	*rispo**si***	*rispo**sto***
rompere (casser)	*ru**ppi***	*ro**tto***
scrivere (écrire)	*scri**ssi***	*scri**tto***
spegnere (éteindre)	*spen**si***	*spen**to***
spendere (dépenser)	*spe**si***	*spe**so***
spingere (pousser)	*spin**si***	*spin**to***
stringere (serrer)	*strin**si***	*str**etto***
tendere (tendre)	*te**si***	*te**so***
uccidere (tuer)	*ucci**si***	*ucci**so***
vincere (vaincre, gagner)	*vin**si***	*vin**to***
volgere (tourner, dérouler)	*vol**si***	*vol**to***

23 Les verbes irréguliers

1. Les verbes irréguliers de la 1re conjugaison

Andare (« aller »)

Présent de l'indicatif	Impératif	Subjonctif présent	Futur
vado		***vada***	*andr**ò***
vai	***va' (vai)***	***vada***	*andr**ai***
va	***vada***	***vada***	*andr**à***
andiamo	*andiamo*	*andiamo*	*andr**emo***
andate	*andate*	*andiate*	*andr**ete***
vanno	***vadano***	***vadano***	*andr**anno***

Gérondif	Participe passé
andando	*andato*

Dare (« donner »)

Présent de l'indicatif	Impératif	Subjonctif présent	Subjonctif imparfait
do		***dia***	***dessi***
dai	*da'* ***(dai)***	***dia***	***dessi***
dà	***dia***	***dia***	***desse***
diamo	*diamo*	*diamo*	***dessimo***
date	*date*	*diate*	***deste***
danno	***diano***	***diano***	***dessero***

Futur	Passé simple
*dar**ò***	***diedi (detti)***
*dar**ai***	***desti***
*dar**à***	***diede (dette)***
*dar**emo***	***demmo***
*dar**ete***	***deste***
*dar**anno***	***diedero (diettero)***

Gérondif	Participe passé
dando	*dato*

Stare

Présent de l'indicatif	Impératif	Subjonctif présent
sto		***stia***
stai	*sta* ***(stai)***	***stia***
sta	***stia***	***stia***
stiamo	*stiamo*	*stiamo*
state	*state*	*stiate*
stanno	***stiano***	***stiano***

Subjonctif imparfait	Futur	Passé simple
stessi	*starò*	***stetti***
stessi	*star**ai***	***stesti***
stesse	*star**à***	***stette***
stessimo	*star**emo***	***stemmo***
steste	*star**ete***	***steste***
stessero	*star**anno***	***stettero***

Gérondif	Participe passé
stando	*stato*

2. Les verbes irréguliers de la 2ᵉ conjugaison

Nous ne mentionnons que les formes irrégulières. Sur les anciens infinitifs signalés entre parenthèses se forment les imparfaits de l'indicatif et du subjonctif ainsi que le gérondif et les personnes régulières du passé simple.

Bere *(bevere)*

Imparfait de l'indicatif	Imparfait subjonctif	Passé simple	Gérondif
bevevo	***bevessi***	***bevesti***	***bevendo***
etc.	***bevessimo***	***bevemmo***	
	beveste		

Le conditionnel n'est pas mentionné puisqu'il suit le futur, ni l'impératif qui, en général, vient de l'indicatif et du subjonctif. En ce qui concerne le passé simple, nous signalons uniquement la 1ʳᵉ personne, la 2ᵉ étant régulière (▷ voir page 121).
Pour le présent de l'indicatif, si nous ne donnons que la 1ʳᵉ personne, la 3ᵉ personne du pluriel se forme sur celle-ci ; les autres sont régulières. Il en est de même pour le subjonctif présent : si la 1ʳᵉ personne est signalée, les autres se forment sur elles, sauf la 1ʳᵉ et la 2ᵉ personnes du pluriel qui sont régulières.

■ Principaux verbes irréguliers de la 2e conjugaison

Infinitif	Indicatif présent	Futur	Passé simple	Subjonctif présent	Impératif	Participe passé
bere	*bevo*	*berrò*	*bevvi*	*beva*	–	*bevuto*
(boire)	*bevi*	*berrai*	*bevesti*	*beva*	*bevi*	
	beve	*berrà*	*bevve*	*beva*	*beva*	
	beviamo	*berremo*	*bevemmo*	*beviamo*	*beviamo*	
	bevete	*berrete*	*beveste*	*beviate*	*bevete*	**Gérondif :**
	bevono	*berranno*	*bevvero*	*bevano*	*bevano*	*bevendo*
cadere	*cado*	*cadrò*	*caddi*	*cada*	–	*caduto*
(tomber)	*cadi*	*cadrai*	*cadesti*	*cada*	*cadi*	
	cade	*cadrà*	*cadde*	*cada*	*cada*	
	cadiamo	*cadremo*	*cademmo*	*cadiamo*	*cadiamo*	
	cadete	*cadrete*	*cadeste*	*cadiate*	*cadete*	**Gérondif :**
	cadono	*cadranno*	*caddero*	*cadano*	*cadano*	*cadendo*
cogliere	*colgo*	*coglierò*	*colsi*	*colga*	–	*còlto*
(cueillir) et	*cogli*	*coglierai*	*cogliesti*	*colga*	*cogli*	
les autres	*coglie*	*coglierà*	*colse*	*colga*	*colga*	
verbes en	*cogliamo*	*coglieremo*	*cogliemmo*	*cogliamo*	*cogliamo*	
-gliere	*cogliete*	*coglierete*	*coglieste*	*cogliate*	*cogliete*	**Gérondif :**
	colgono	*coglieranno*	*colsero*	*colgano*	*colgano*	*cogliendo*
condurre	*conduco*	*condurrò*	*condussi*	*conduca*	–	*condotto*
(conduire) et	*conduci*	*condurrai*	*conducesti*	*conduca*	*conduci*	
les autres	*conduce*	*condurrà*	*condusse*	*conduca*	*conduca*	
verbes en	*conduciamo*	*condurremo*	*conducemmo*	*conduciamo*	*conduciamo*	
-durre	*conducete*	*condurrete*	*conduceste*	*conduciate*	*conducete*	**Gérondif :**
	conducono	*condurranno*	*condussero*	*conducano*	*conducano*	*conducendo*
cuocere	*cuocio*	*cuocerò*	*cossi*	*cuocia*	–	*cotto*
(cuire)	*cuoci*	*cuocerai*	*cuocesti*	*cuocia*	*cuoci*	
	cuoce	*cuocerà*	*cosse*	*cuocia*	*cuocia*	
	cuociamo	*cuoceremo*	*cuocemmo*	*cuociamo*	*cuociamo*	
	cuocete	*cuocerete*	*cuoceste*	*cuociate*	*cuocete*	**Gérondif :**
	cuociono	*cuoceranno*	*cossero*	*cuociano*	*cuociano*	*cuocendo*
dire	*dico*	*dirò*	*dissi*	*dica*	–	*detto*
(dire)	*dici*	*dirai*	*dicesti*	*dica*	*di'*	
	dice	*dirà*	*disse*	*dica*	*dica*	
	diciamo	*diremo*	*dicemmo*	*diciamo*	*diciamo*	
	dite	*direte*	*diceste*	*diciate*	*dite*	**Gérondif :**
	dicono	*diranno*	*dissero*	*dicano*	*dicano*	*dicendo*

Infinitif	Indicatif présent	Futur	Passé simple	Subjonctif présent	Impératif	Participe passé
dolersi	*mi dolgo*	*mi dorrò*	*mi dolsi*	*mi dolga*	–	*doluto (si)*
(se plaindre)	*ti duoli*	*ti dorrai*	*ti dolesti*	*ti dolga*	*duòliti*	
	si duole	*si dorrà*	*si dolse*	*si dolga*	*si dolga*	
	ci doliamo	*ci dorremo*	*ci dolemmo*	*ci dogliamo*	*dogliamoci*	
	vi dolete	*vi dorrete*	*vi doleste*	*vi dogliate*	*doletevi*	**Gérondif :**
	si dolgono	*si dorranno*	*si dolsero*	*si dolgano*	*si dolgano*	*dolendosi*
dovere	*devo/debbo*	*dovrò*	*dovetti*	*debba*	–	*dovuto*
(devoir)	*devi*	*dovrai*	*dovesti*	*debba*		
	deve	*dovrà*	*dovette*	*debba*		
	dobbiamo	*dovremo*	*dovemmo*	*dobbiamo*		
	dovete	*dovrete*	*doveste*	*dobbiate*		**Gérondif :**
	devono	*dovranno*	*dovettero*	*debbano*		*dovendo*
fare	*faccio*	*farò*	*feci*	*faccia*	–	*fatto*
(faire)	*fai*	*farai*	*facesti*	*faccia*	*fa' (fai)*	
	fa	*farà*	*fece*	*faccia*	*faccia*	
	facciamo	*faremo*	*facemmo*	*facciamo*	*facciamo*	
	fate	*farete*	*faceste*	*facciate*	*fate*	**Gérondif :**
	fanno	*faranno*	*fecero*	*facciano*	*facciano*	*facendo*
parere	*paio*	*parrò*	*parvi*	*paia*	–	*parso*
(sembler,	*pari*	*parrai*	*paresti*	*paia*		
paraître)	*pare*	*parrà*	*parve*	*paia*		
	paiamo	*parremo*	*paremmo*	*paiamo*		
	parete	*parrete*	*pareste*	*paiate*		**Gérondif :**
	paiono	*parranno*	*parvero*	*paiano*		*parendo*
piacere	*piaccio*	*piacerò*	*piacqui*	*piaccia*	–	*piaciuto*
(plaire)	*piaci*	*piacerai*	*piacesti*	*piaccia*	*piaci*	
	piace	*piacerà*	*piacque*	*piaccia*	*piaccia*	
	piacciamo	*piaceremo*	*piacemmo*	*piacciamo*	*piacciamo*	
	piacete	*piacerete*	*piaceste*	*piacciate*	*piacete*	**Gérondif :**
	piacciono	*piaceranno*	*piacquero*	*piacciano*	*piacciano*	*piacendo*
porre	*pongo*	*porrò*	*posi*	*ponga*	–	*posto*
(poser)	*poni*	*porrai*	*ponesti*	*ponga*	*poni*	
	pone	*porrà*	*pose*	*ponga*	*ponga*	
	poniamo	*porremo*	*ponemmo*	*poniamo*	*poniamo*	
	ponete	*porrete*	*poneste*	*poniate*	*ponete*	**Gérondif :**
	pongono	*porranno*	*posero*	*pongano*	*pongano*	*ponendo*

Infinitif	Indicatif présent	Futur	Passé simple	Subjonctif présent	Impératif	Participe passé
potere	*posso*	*potrò*	*potei*	*possa*	–	*potuto*
(pouvoir)	*puoi*	*potrai*	*potesti*	*possa*		
	può	*potrà*	*poté*	*possa*		
	possiamo	*potremo*	*potemmo*	*possiamo*		
	potete	*potrete*	*poteste*	*possiate*		**Gérondif :**
	possono	*potranno*	*poterono*	*possano*		*potendo*
rimanere	*rimango*	*rimarrò*	*rimasi*	*rimanga*	–	*rimasto*
(rester)	*rimani*	*rimarrai*	*rimanesti*	*rimanga*	*rimani*	
	rimane	*rimarrà*	*rimase*	*rimanga*	*rimanga*	
	rimaniamo	*rimarremo*	*rimanemmo*	*rimaniamo*	*rimaniamo*	
	rimanete	*rimarrete*	*rimaneste*	*rimaniate*	*rimanete*	**Gérondif :**
	rimangono	*rimarranno*	*rimasero*	*rimangano*	*rimangano*	*rimanendo*
sapere	*so*	*saprò*	*seppi*	*sappia*	–	*saputo*
(savoir)	*sai*	*saprai*	*sapesti*	*sappia*	*sappi*	
	sa	*saprà*	*seppe*	*sappia*	*sappia*	
	sappiamo	*sapremo*	*sapemmo*	*sappiamo*	*sappiamo*	
	sapete	*saprete*	*sapeste*	*sappiate*	*sappiate*	**Gérondif :**
	sanno	*sapranno*	*seppero*	*sappiano*	*sappiano*	*sapendo*
scegliere	*scelgo*	*sceglierò*	*scelsi*	*scelga*	–	*scelto*
(choisir)	*scegli*	*sceglierai*	*scegliesti*	*scelga*	*scegli*	
	sceglie	*sceglierà*	*scelse*	*scelga*	*scelga*	
	scegliamo	*sceglieremo*	*scegliemmo*	*scegliamo*	*scegliamo*	
	scegliete	*sceglierete*	*sceglieste*	*scegliate*	*scegliete*	**Gérondif :**
	scelgono	*sceglieranno*	*scelsero*	*scelgano*	*scelgano*	*scegliendo*
sedere	*siedo*	*siederò*	*sedei*	*sieda*	–	*seduto*
(et	*siedi*	*siederai*	*sedesti*	*sieda*	*siedi*	
possedere*)*	*siede*	*siederà*	*sedé*	*sieda*	*sieda*	
(s'asseoir,	*sediamo*	*siederemo*	*sedemmo*	*sediamo*	*sediamo*	
posséder)	*sedete*	*siederete*	*sedeste*	*sediate*	*sedete*	**Gérondif :**
	siedono	*siederanno*	*sederono*	*siedano*	*sediamo*	*sedendo*
tacere	*taccio*	*tacerò*	*tacqui*	*taccia*	–	*taciuto*
(se taire)	*taci*	*tacerai*	*tacesti*	*taccia*	*taci*	
	tace	*tacerà*	*tacque*	*taccia*	*taccia*	
	taciamo	*taceremo*	*tacemmo*	*tacciamo*	*taciamo*	
	tacete	*tacerete*	*taceste*	*tacciate*	*tacete*	**Gérondif :**
	tacciono	*taceranno*	*tacquero*	*tacciano*	*tacciano*	*tacendo*

Infinitif	Indicatif présent	Futur	Passé simple	Subjonctif présent	Impératif	Participe passé
tenere	*tengo*	*terrò*	*tenni*	*tenga*	–	*tenuto*
(tenir)	*tieni*	*terrai*	*tenesti*	*tenga*	*tieni*	
et les autres	*tiene*	*terrà*	*tenne*	*tenga*	*tenga*	
verbes en	*teniamo*	*terremo*	*tenemmo*	*teniamo*	*teniamo*	
-tenere	*tenete*	*terrete*	*teneste*	*teniate*	*tenete*	**Gérondif :**
	tengono	*terranno*	*tennero*	*tengano*	*tengano*	*tenendo*
trarre	*traggo*	*trarrò*	*trassi*	*tragga*	–	*tratto*
(tirer)	*trai*	*trarrai*	*traesti*	*tragga*	*trai*	
	trae	*trarrà*	*trasse*	*tragga*	*tragga*	
	traiamo	*trarremo*	*traemmo*	*traiamo*	*traiamo*	
	traete	*trarrete*	*traeste*	*traiate*	*traete*	**Gérondif :**
	traggono	*trarranno*	*trassero*	*traggano*	*traggano*	*traendo*
valere	*valgo*	*varrò*	*valsi*	*valga*	–	*valso*
(valoir)	*vali*	*varrai*	*valesti*	*valga*	*vali*	
	vale	*varrà*	*valse*	*valga*	*valga*	
	valiamo	*varremo*	*valemmo*	*valiamo*	*valiamo*	
	valete	*varrete*	*valeste*	*valiate*	*valete*	**Gérondif :**
	valgono	*varranno*	*valsero*	*valgano*	*valgano*	*valendo*
vedere	*vedo*	*vedrò*	*vidi*	*veda*	–	*veduto,*
(voir)	*vedi*	*vedrai*	*vedesti*	*veda*	*vedi*	*visto*
	vede	*vedrà*	*vide*	*veda*	*veda*	
	vediamo	*vedremo*	*vedemmo*	*vediamo*	*vediamo*	
	vedete	*vedrete*	*vedeste*	*vediate*	*vedete*	**Gérondif :**
	vedono	*vedranno*	*videro*	*vedano*	*vedano*	*vedendo*
volere	*voglio*	*vorrò*	*volli*	*voglia*	–	*voluto*
(vouloir)	*vuoi*	*vorrai*	*volesti*	*voglia*	*vuoi*	
	vuole	*vorrà*	*volle*	*voglia*	*voglia*	
	vogliamo	*vorremo*	*volemmo*	*vogliamo*	*vogliamo*	
	volete	*vorrete*	*voleste*	*vogliate*	*vogliate*	**Gérondif :**
	vogliono	*vorranno*	*vollero*	*vogliano*	*vogliano*	*volendo*

Sur le modèle ***condurre*** (conduire) se conjuguent :

dedurre (déduire) ***produrre*** (produire) ***sedurre*** (séduire)
introdurre (introduire) ***ridurre*** (réduire) ***tradurre*** (traduire)

Les verbes suivants se conjuguent sur le modèle de ***porre*** :

comporre (composer) ***esporre*** (exposer) ***supporre*** (supposer)
deporre (déposer) ***imporre*** (imposer)
disporre (disposer) ***proporre*** (proposer)

3. Les principaux verbes irréguliers de la 3e conjugaison

Infinitif	Indicatif présent	Futur	Passé simple	Subjonctif présent	Impératif	Participe passé
apparire (apparaître)	*appaio*	*apparirò*	*apparvi*	*appaia*	–	*apparso*
	appari	*apparirai*	*apparisti*	*appaia*	*appari*	
	appare	*apparirà*	*apparve*	*appaia*	*appaia*	
	appariamo	*appariremo*	*apparimmo*	*appariamo*	*appariamo*	
	apparite	*apparirete*	*appariste*	*appariate*	*apparite*	**Gérondif :**
	appaiono	*appariranno*	*apparvero*	*appaiano*	*appaiano*	*apparendo*
morire (mourir)	*muoio*	*morirò*	*morii*	*muoia*	–	*morto*
	muori	*morirai*	*moristi*	*muoia*	*muori*	
	muore	*morirà*	*morì*	*muoia*	*muoia*	
	moriamo	*moriremo*	*morimmo*	*moriamo*	*moriamo*	
	morite	*morirete*	*moriste*	*moriate*	*morite*	**Gérondif :**
	muoiono	*moriranno*	*morirono*	*muoiano*	*muoiano*	*muorendo*
salire (monter)	*salgo*	*salirò*	*salii*	*salga*	–	*salito*
	sali	*salirai*	*salisti*	*salga*	*sali*	
	sale	*salirà*	*salì*	*salga*	*salga*	
	saliamo	*saliremo*	*salimmo*	*saliamo*	*saliamo*	
	salite	*salirete*	*saliste*	*saliate*	*salite*	**Gérondif :**
	salgono	*saliranno*	*salirono*	*salgano*	*salgano*	*salendo*
uscire (sortir)	*esco*	*uscirò*	*uscii*	*esca*	–	*uscito*
	esci	*uscirai*	*uscisti*	*esca*	*esci*	
	esce	*uscirà*	*uscì*	*esca*	*esca*	
	usciamo	*usciremo*	*uscimmo*	*usciamo*	*usciamo*	
	uscite	*uscirete*	*usciste*	*usciate*	*uscite*	**Gérondif :**
	escono	*usciranno*	*uscirono*	*escano*	*escano*	*uscendo*
venire (venir)	*vengo*	*verrò*	*venni*	*venga*	–	*venuto*
	vieni	*verrai*	*venisti*	*venga*	*vieni*	
	viene	*verrà*	*venne*	*venga*	*venga*	
	veniamo	*verremo*	*venimmo*	*veniamo*	*veniamo*	
	venite	*verrete*	*veniste*	*veniate*	*venite*	**Gérondif :**
	vengono	*verranno*	*vennero*	*vengano*	*vengano*	*venendo*

EXERCICES

❶ Transcrire au présent de l'indicatif :

1. La porta improvvisamente si aprì mentre la sua mano ancora esitava sul pulsante del campanello. La donna disse : – Entri, l'aspettavo – sorridendo [...] Lui pensò che c'era un equivoco, tentò di calcolarne le conseguenze. Restava sulla soglia smarrito, un po' stravolto. Sicuramente, pensò, lei stava aspettando qualcuno : qualcuno che non conosceva o che conosceva appena o che non vedeva da tanti anni. Entrò, fece tre passi sul pavimento di ceramica.

Leonardo Sciascia

2. La ragazza si staccò dall'ombra del portale e camminando al centro del vicolo, sorridendo, si diresse verso il professore, che avanzava rasente il muro. A pochi metri lei si fermò, ma il professore proseguì, guardando avanti e facendole solo un cenno con la testa. Senza volgere il viso, le disse : « Ti avevo raccomandato di non aspettarmi all'Università. »

Guiseppe Pontiggia

3. Mia madre riconobbe sua sorella quando fu a dieci passi da noi, saltò la catena e corse ad abbracciarla. Mia zia era grassa, aveva un vestito a fiori grandi, gli occhiali d'oro ; il marito era alto, la faccia giovanile sotto i capelli bianchi [...] Mia madre piangeva di gioia, e non si dava pace per il fatto di non averla riconosciuta tra le persone affacciate sul piroscafo, mia cugina guardava meravigliata di quelle lacrime.

Leonardo Sciascia

4. Mi afferrai alla portiera e me la pigliai con mio fratello : « Sei matto andartene così ? »
Era solo in macchina. « Non posso mica aspettare fino a domani » rispose ragionevole come sempre. E come sempre mi sentii tranquillo e protetto dal suo modo sicuro di procedere al volante.

Fulvio Tomizza

5. Era ormai il crepuscolo. Il direttissimo da Roma, che passava senza fermarsi, aveva i finestrini illuminati. Si accesero i lampioni : brillavano incerti, spandendo un pallido riflesso sulle lastre del marciapiede.

Carlo Cassola

❷ Transcrire à l'imparfait puis au futur de l'indicatif :

1. A volte ci illudiamo di utilizzare a nostro agio le innumerevoli stanze ; le occupiamo a turno, spostiamo i letti e gli armadi, sparpagliamo da un punto all'altro le poche anticaglie. Ma una volta realizzato questo piano di occupazione totale, ci sentiamo all'improvviso affaticati e dispersi ; le pareti ci sembrano ancora più nude, la comunicazione tra noi dispendiosa ; allora rifacciamo alla svelta il cammino inverso.

Carmelo Samonà

2. Le lezioni con Marianne sono cominciate. Ci vediamo di pomeriggio, quando le riesce. [...] Di sera, non può mai. Scopriamo dintorni ; ma, più spesso, andiamo alle diurne del Teatro dell'Opera e ai concerti.
La musica, come i passi notturni di due compagni, non ha bisogno di parole. Basta a se stessa anche nell'illuminare la curiosità e nel renderla comune. Dopo si comincia a ragionare.

Alberto Bevilacqua

❸ Transcrire au futur de l'indicatif :

Michele torna a casa dall'ufficio e si mette a leggere il giornale, ascolta la musica seduto in poltrona, e può pensare, riflettere, se vuole. Io, invece torno a casa dall'ufficio e debbo andare subito in cucina. Qualche volta egli, nel vedermi passare affaccendata, mi domanda : « È pronto ? Vuoi che ti aiuti ? » Io subito declino la sua offerta, ringraziandolo.

Alba De Cespedes

❹ Transcrire au passé simple :

1. Non è stato facile adattarci alle strane leggi della casa disabitata. Le stanze sono troppo ampie per i nostri bisogni, le suppellettili rare. Arnesi dall'uso incerto interrompono, di tanto in tanto, la sequenza dei vuoti... Sono, probabilmente, residui di un'intimità familiare che è difficile, per noi, rinviare a un'epoca esatta ; non servono ad altro che a scandire le superfici... Mio fratello ed io, godiamo però della loro vista ; li tocchiamo e segniamo a dito nei corridoi.

Carmelo Samonà

2. Mara era tornata a casa volentieri. La madre, cosa insolita, era stata piena di premure con lei. Lei era andata in camera sua e poi, senza un motivo preciso era salita in camera dei genitori ; dopo essere stata in casa di Bube [...] casa sua le appariva spaziosa e piena di comodità. Poi la madre l'aveva chiamata a bere il brodo ; e poi era venuto di corsa Vinicio.

Carlo Cassola

❺ Transcrire au passé composé :

1. Non telefonai a nessuno e nessuno sapeva ch'ero scesa a quell'albergo. Nemmeno un mazzo di fiori mi attendeva. La cameriera che mi preparò il bagno mi parlò, china sulla vasca, mentre io giravo nella stanza.

Cesare Pavese

2. L'inverno se ne andò e si lasciò dietro i dolori reumatici. Un leggero sole meridiano veniva a rallegrare le giornate, e Marcovaldo passava qualche ora a guardar spuntare le foglie, seduto su una panchina, aspettando di tornare a lavorare. Vicino a lui veniva a sedersi un vecchietto.

Italo Calvino

3. Così, verso mezzogiorno, salii sulla mia vecchia e sgangherata automobile e mi avviai attraverso la città con il solito sentimento di disagio [...] imboccai alla fine la via Appia.

Alberto Moravia

❻ Transformer selon le modèle :

Vieni !
→ *Bisogna che tu venga.*
→ *Bisognava che tu venissi.*

1. Ascolta ! **3.** Salga ! **5.** Rimani ! **7.** Alzati ! **9.** Prova !
2. Finisci ! **4.** Fatelo ! **6.** Dillo ! **8.** Leggi ! **10.** Mangiate !

❼ Mettre au passé simple les phrases suivantes :

1. Elsa nasce nel 1978.
2. Marco perde il treno.
3. Spendo tantissimi euro.
4. Questo ragazzo uccide due persone.
5. Marco rompe due bicchieri.
6. Legge un libro in due giorni.
7. Decidono di uscire.
8. Chiudiamo la pratica.
9. La bomba esplode.
10. Il negozio chiude alle 19.
11. Accendono la luce.
12. Ride di tutto.
13. Sonia difende sua sorella.
14. Conosco questo bar.
15. Si accorge dell'errore.
16. Il cane morde il suo padrone.

❽ Mettre au passé composé les phrases suivantes :

1. Chiudo la finestra.
2. Discutono dell'ora di apertura.
3. Vince al gratta e vinci.
4. Raggiungono il centro citta'.
5. Legge molte riviste.
6. Dividiamo le spese.
7. Lo conosco bene.
8. Mi chiede di aiutarlo.
9. Si accorge di aver sbagliato.
10. Perdo 100 euro.
11. Nasconde la verita'.
12. Rompete due piatti.

Voir corrigés page 180.

24 Emplois des auxiliaires

1. *Avere*

- Il est auxiliaire pour les temps composés des verbes transitifs :
  Ho *mangiato.* (J'ai mangé.)
  Verrò quando ***avrò*** *finito.* (Je viendrai quand j'aurai fini.)

- Le participe passé employé avec ***avere*** est invariable sauf quand il est précédé d'un des pronoms personnels complément d'objet direct *(**lo**, **la**, **li**, **le**)* (▷ voir page 148) ou du pronom complément indirect ***ne*** :
  Li *ho vist**i**.* (Je les ai vus.)
  Hai preso delle cassette ? Sì, ***ne*** *ho pres**e** dieci.*
  (Tu as pris des cassettes ? Oui, j'en ai pris dix.)

On fait également l'accord avec le verbe ***fare*** servant de deuxième auxiliaire :
  Guilia ? – L'ho già ***fatta*** *mangiare.*
  (Giulia ? – Je l'ai déjà fait manger.)

- Avec le relatif ***che*** (complément d'objet) et avec l'interrogatif ***quanto***, il n'y a pas d'accord :
  Non ho ancora visto ***i libri che*** *hai comprat**o**.*
  (Je n'ai pas encore vu les livres que tu as achetés.)
  Quanti film *hai vist**o** ?*
  (Combien de films as-tu vus ?)

- Remarquons l'emploi particulier du verbe ***avere*** suivi de la préposition ***da*** traduisant une obligation personnelle et qui a souvent le sens du verbe « devoir » :
  Non posso oggi, ***ho da fare***.
  (Je ne peux pas aujourd'hui, j'ai à faire.)
  Ho da finire *questa relazione.*
  (Je dois terminer ce rapport.)

2. *Essere*

- Il est l'auxiliaire des verbes réfléchis ; le participe passé s'accorde en genre et en nombre :
  *mi sono alzat**a*** (je me suis levée)
  *si sono alzat**i*** (ils se sont levés)

Il est également l'auxiliaire des verbes pronominaux comme *arrabbiarsi* (« se fâcher ») *vergognarsi* (« avoir honte »)...

● L'italien fait toujours l'accord du participe passé, avec le sujet (▷ voir page 148) :

Si è rotta il polso. (Elle s'est cassé le poignet.)

même avec les verbes semi-auxiliaires (▷ voir page 138)

Sono voluti partire. (Ils ont voulu partir.)

Le verbe ***essere*** s'emploie :

● avec un nom attribut pour indiquer la profession, la situation familiale, avec un nom propre, etc. :

*Sua cugina **è** farmacista.* (Sa cousine est pharmacienne.)
*È italiano, sua moglie **è** francese.* (Il est italien, sa femme est française.)

● pour traduire la tournure impersonnelle « il est », « c'est » et le présentatif « c'est » :

***Era** una magnifica serata.* (C'était une soirée magnifique.)
***È** difficile saperlo.* (Il est difficile de le savoir.)

● pour traduire la tournure française « c'est moi », « c'est toi »... En ce cas, ***essere*** s'accorde avec le pronom :

*Chi è ? **Siamo** noi.* (Qui est-ce ? C'est nous.)
***Sono** io.* (C'est moi.)

→ **N.B.** Le verbe ***essere*** prend le temps du verbe qui exprime l'action ; il est alors suivi de la préposition ***a*** et du verbe à l'infinitif :

***È stato** lui **a** parlare.* (C'est lui qui a parlé.)
***Sarò** io **a** farlo.* (C'est moi qui le ferai.)

Rappelons que pour traduire une tournure emphatique comme « c'est moi qui l'ai dit... », il suffit d'exprimer le pronom personnel sujet après le verbe (▷ voir page 54) ;

● pour indiquer l'appartenance, avec le possessif sans article qui suit le verbe (▷ voir page 45) :

*Di chi è questa macchina ? – **È mia.*** (À qui est cette voiture ? – Elle est à moi.)

● à la 3e personne du singulier ou du pluriel, précédé de ***ci*** qui s'élide devant voyelle, au temps et au mode voulus, pour traduire le français « il y a », « il y avait »...

***C'è** troppo sale.* (Il y a trop de sel.)
***Ci saranno** molti problemi.* (Il y aura beaucoup de problèmes.)
***C'è stata** molta gente.* (Il y a eu beaucoup de gens.)

Rappelons :
– le complément d'objet en français devient sujet du verbe en italien et il faut faire l'accord si c'est nécessaire ;
– il ne faut pas confondre la question ***che cosa c'è ?*** (« qu'est-ce qu'il y a ? ») avec la question ***che cos'è ?*** (« qu'est-ce que c'est ? »)
– ***C'era una volta*** = Il était une fois.

– on n'emploie pas le verbe ***essere*** pour rendre l'expression « c'est à moi de » ; on utilise les expressions ***tocca a me***, ***a te*** indiquant un tour, un ordre de passage et ***spetta a me***, ***a te***... pour une obligation, un droit :
Tocca a te *prendere la parola.* (C'est à toi de prendre la parole.)
Spetta al *Presidente della Repubblica intervenire.*
(C'est au président de la République d'intervenir.)

3. Les auxiliaires des verbes intransitifs

À la différence du français, les verbes intransitifs qui indiquent une action subie par le sujet, un état, un changement physique ou moral, se conjuguent avec ***essere*** aux temps composés. Ce sont pratiquement tous les verbes qui expriment un état, une façon d'être ou un changement.

vivere (vivre)
sembrare (sembler, paraître)
parere (sembler, paraître)
cominciare (commencer)
finire (finir)
correre (courir)
crescere (grandir)
diminuire (diminuer)
migliorare (améliorer)
ingrassare (grossir)
dimagrire (maigrir)
invecchiare (vieillir)
piacere (plaire)
dispiacere (regretter)
cambiare (changer)
riuscire (réussir)
costare (coûter)
cessare (cesser)

Attention à l'accord :
*Sei dimagrit**a**, Silvia !* (Tu as maigri, Silvia !)
*Sono molto invecchiat**i**.* (Ils ont beaucoup vieilli.)

Remarque

Il convient de ne pas confondre les verbes intransitifs qui expriment un changement ou une manière d'être et qui se conjuguent avec ***essere*** et les verbes transitifs indiquant une action faite par le sujet qui se conjuguent avec ***avere***. Ces derniers peuvent correspondre à un verbe transitif indirect en français.
Sei *cambiata.* (Tu as changé.)
Hai *cambiato appartamento ?* (Tu as changé d'appartement ?)
*Questo malato **è** peggiorato.* (Ce malade a empiré.)
Hai *peggiorato la situazione.* (Tu as empiré la situation.)
I prezzi sono aumentati. (Les prix ont augmenté.)
Hanno aumentato i prezzi. (Ils ont augmenté les prix.)

4. Les verbes à double auxiliaire : *dovere, potere, volere*

L'italien les appelle ***verbi servili*** ; en effet, ces verbes sont suivis d'un infinitif et lui servent en quelque sorte d'appui. En général, le premier verbe prend l'auxiliaire du verbe à l'infinitif (c'est-à-dire l'auxiliaire qu'aurait ce verbe s'il était seul et qu'on doive le conjuguer à un temps composé) :

Sono venuto → ***sono*** *dovuto venire* (j'ai dû venir)
sono *potuto venire* (j'ai pu venir)
è *voluta venire* (elle a voulu venir)

Ho aiutato → ***ho*** { *voluto* / *potuto* / *dovuto* } *aiutare* (j'ai { voulu / pu / dû } aider)

Cela n'exclut pas l'emploi possible de l'auxiliaire ***avere***, comme c'est le cas en français :

Ho *dovuto tornare.* (J'ai dû retourner.)

→ **N.B.** Si l'infinitif qui suit ***dovere***, ***potere*** ou ***volere*** est le verbe ***essere***, on emploie toujours l'auxiliaire ***avere*** :

Ho dovuto essere *a Milano per le dieci.*
(J'ai dû être à Milan pour dix heures.)

En revanche, si le verbe est construit avec le ***si*** impersonnel, on emploie toujours l'auxiliaire ***essere*** :

Si sarebbe dovuto *pensare a questo problema prima della riunione.*
(On aurait dû penser à ce problème avant la réunion.)

5. Les auxiliaires du passif

● La conjugaison passive correspond entièrement à celle du verbe ***essere*** suivie du participe passé du verbe que l'on veut conjuguer :

Il presidente ***è stato eletto.*** (Le président a été élu.)

Le participe passé s'accorde en genre et en nombre avec le sujet :

È stata chiamata *subito.* (Elle a été tout de suite appelée.)

Dans les titres des journaux, le verbe ***essere*** est souvent sous-entendu :

Sequestrati dalla polizia dieci chili di eroina.
(La police a confisqué dix kilos d'héroïne.)

● Le passif peut se former avec d'autres verbes :

- avec le verbe ***venire*** mais uniquement aux temps simples ; il exprime un événement particulier, une action prolongée ou le résultat d'une action :

Venne assolto. (Il fut acquitté.)

- avec le verbe ***andare*** utilisé comme auxiliaire avec des verbes tels que ***perdere***, ***smarrire***.

Il pacco è ***andato smarrito.*** (Le paquet a été perdu.)

→ **N.B.** ***Andare*** employé comme auxiliaire peut exprimer également une idée de convenance, une obligation :

Questo film ***va visto*** *assolutamente.* (Ce film doit être vu absolument ; On doit absolument voir ce film ; Il faut absolument voir ce film.)

Rappelons que le passif peut traduire le « on » français (▷ voir page 86).

E X E R C I C E S

❶ Traduire :

1. – Tu as pris les livres ? – Oui, je les ai pris.
2. Nous nous sommes déjà rencontrés hier.
3. Les livres que vous avez commandés ne sont pas arrivés.
4. – Qui est-ce ? – C'est moi.
5. Je ne peux pas, je dois finir cette traduction.
6. C'était un hôtel extraordinaire !
7. Il sera intéressant de le lui faire remarquer.
8. C'est lui qui l'a dit.
9. Il y aura beaucoup de monde à cette réception.
10. Il y avait beaucoup de personnes assises par terre.
11. Qu'est-ce qu'il y a encore ?
12. Il n'est pas content mais c'est à lui de le faire.
13. – À qui est la voiture rouge ? – Elle est à lui.
14. Il était une fois une petite fille qui s'appelait Alice.
15. Il nous a vus ensemble au cinéma.
16. Combien de personnes as-tu invitées ?
17. C'est Elsa qui l'a fait mais c'est vous qui l'avez voulu.
18. C'est moi qui présenterai le conférencier.
19. Je suis sûr qu'il y aura beaucoup de difficultés.
20. C'est tout à fait inutile.

❷ Mettre au passé composé les phrases suivantes :

1. L'operaio comincia il suo lavoro alle sette.
2. Aumentano le vendite dei DVD.
3. Cambi la macchina ?
4. Questo viaggio mi costa gli occhi della testa.
5. Mi piace molto questo film.
6. Questa storia finirà male.
7. Mi dispiace non potervi aiutare.
8. Vive in questo appartamento.
9. Arriva stamattina, almeno così mi sembra.
10. Questa sessione comincia male.
11. Riesco a sopportare questa situazione.
12. Gli artisti finiranno le prove a mezzanotte.
13. Invecchia male questa donna !
14. Vive momenti intensi in sua compagnia.
15. Corre cento metri poi crolla.
16. Questo ragazzo migliora costantemente.
17. La sua carriera comincerà così.
18. Esistono i documenti precedenti.
19. Penetra il gas nella stanza.
20. Ultimamente crescono le vendite dei computer.
21. Non serve il tuo intervento.
22. Sonia dimagrisce da quando non ha più lavoro.

❸ Traduire :

1. Il a pu le faire sans problème.
2. J'ai dû aller le prévenir tout de suite.
3. Malgré la grève, il a pu partir.
4. J'ai pu le contacter.
5. Il a voulu être son ami, mais il n'y a rien eu à faire.
6. On aurait dû tout prévoir avant le spectacle.
7. Le policier a dû intervenir pour les séparer.
8. Il aurait voulu venir mais c'était trop tard.
9. Tu as pu le remplacer.
10. Nous avons dû atterrir à Gênes et non pas à Milan comme c'était prévu.
11. J'aurais dû rester jusqu'à minuit pour finir ce travail.
12. Il a dû revenir après la réunion pour tout arranger.

❹ Transformer les phrases suivantes à la forme passive :

1. Tutta l'Europa ha visto la trasmissione.
2. Il tecnico riparerà il televisore alla fine della settimana.
3. La segretaria ha spedito il pacco ieri sera.
4. I proprietari hanno già pagato le spese di condominio.
5. Un alto strato di fango ricopriva i campi.
6. Il Presidente della Repubblica ha inaugurato la nuova galleria.
7. Il notaio ha curato la vendita di tutte le terre.
8. Il giornalista commenterà la partita Italia-Francia.
9. Un folto pubblico ha applaudito il tenore.
10. Il cane ha spaventato il postino.
11. Il consiglio di Facoltà ha preso numerosi provvedimenti.
12. Il conservatore ha organizzato la mostra su Giorgio Morandi.
13. Questa famiglia ha adottato due bambini vietnamiti.
14. Il professore di lettere ha preparato la gita a Firenze.
15. Il vigile ha inseguito il ladro.

❺ Transformer les phrases suivantes à la forme active :

1. Una pianta molto rara è stata osservata da questo ricercatore.
2. Gli è stata data una lezione dal padre.
3. Questo articolo è stato scritto dalla giornalista Natalia Aspesi.
4. Ti è stata mandata una lettera raccomandata dalla banca.
5. Gli assegni non vengono accettati da questo ristorante.
6. Questo modello è stato disegnato da uno stilista molto famoso.
7. Marco è stato curato dal professor Rossi.
8. I bagagli sono stati controllati accuratamente dalla polizia.
9. Le ricerche sono state effettuate dai vigili del fuoco.
10. Lo spettacolo è stato allestito dalla Compagnia Biondi.

Voir corrigés page 181.

25 Les verbes impersonnels

1. Les caractéristiques des verbes impersonnels

Ce sont les verbes sans sujet déterminé et qui ne s'emploient qu'à la 3e personne du singulier.

- Ils indiquent, en général, des phénomènes atmosphériques :

  Piove. (Il pleut.)
  Nevica. (Il neige.)
  Diluvia. (Il pleut à verse.)
  Grandina. (Il grêle.)
  Lampeggia. (Il fait des éclairs.)

Ces verbes peuvent être employés d'une façon personnelle mais uniquement au sens figuré :

Piovevano le critiche. (Les critiques pleuvaient.)

Aux temps composés, l'auxiliaire est le verbe ***essere*** :

È *piovuto.* (Il a plu.)
È *nevicato.* (Il a neigé.)
Ha *nevicato tutta la notte.* (Il a neigé toute la nuit.)

Aujourd'hui, le verbe ***essere*** est remplacé par ***avere*** qui est d'ailleurs obligatoire dans les expressions impersonnelles contenant le verbe ***fare*** :

Ha *fatto freddo tutta la settimana.* (Il a fait froid toute la semaine.)

- Certains verbes et certaines locutions verbales peuvent être employés impersonnellement : ils indiquent des sentiments, des événements ou une nécessité.

Rappelons les plus courants :

mi dispiace, *mi rincresce* } (je regrette)
mi sembra, *mi pare* } (il me semble)
succede, *capita*, *accade* } (il arrive)
essere necessario (être nécessaire)
essere certo (être certain)
può darsi che (il se peut que)
bastare (suffire)

- Aux temps composés, l'auxiliaire est toujours ***essere*** :

  Mi ***è dispiaciuto*** *non poterlo aiutare.* (J'ai regretté de ne pas pouvoir l'aider.)
  È *già* ***capitato.*** (Cela est déjà arrivé.)
  È bastato *un attimo.* (Il a suffi d'un instant.)

2. La traduction de « il faut »

- ***Bisogna*** { + infinitif
+ ***che*** suivi d'un verbe au subjonctif

indique une obligation impersonnelle, un ordre, un devoir, une nécessité souvent matérielle :

Bisogna partire *alle dieci.*
(Il faut partir à dix heures.)
Bisognava che *tu* ***venissi*** *ieri sera.*
(Il fallait que tu viennes hier soir.)

Dans la langue parlée, en Toscane, on peut entendre l'expression ***mi tocca, ti tocca***, etc. suivie d'un verbe à l'infinitif (à ne pas confondre avec ***tocca a me*** (« c'est à mon tour », « c'est à moi de ») :

Mi tocca far*lo.* (Il faut que je le fasse.)
Gli toccherà andar*ci.* (Il faudra qu'il y aille.)

- Le verbe ***conviene*** + infinitif indique ce qui est opportun, convenable. Il exprime aussi une idée de nécessité morale :

Conviene vestirsi *in modo elegante perché è una serata importante.*
(Il faut s'habiller d'une façon élégante parce que c'est une soirée importante.)

- L'expression ***ci vuole*** + substantif indique une condition requise par les circonstances (le verbe ***volere*** peut être conjugué aux temps de l'indicatif : ***ci voleva*** (« il fallait »), ***ci vorrà*** (« il faudra »)... et il s'accorde avec le substantif qui le suit) :

Ci vogliono tante iscrizioni *per aprire un nuovo corso.*
(Il faut beaucoup d'inscriptions pour ouvrir un nouveau cours.)
In questa situazione, ***ci vuole pazienza !***
(Dans cette situation, il faut de la patience !)

- Il existe également le verbe

occorrere { + nom (avec accord si c'est nécessaire)
+ infinitif
+ ***che*** et verbe au subjonctif

conjugué à la 3e personne et au temps voulu il indique ce qui est utile, nécessaire :

Occorrono *medicinali nella zona sinistrata.*
(Il faut des médicaments dans la zone sinistrée.)

Remarque

La forme ***non occorre*** traduit l'expression française « il n'est pas nécessaire », elle ne traduit pas l'interdiction « il ne faut pas ». Celle-ci se rend par ***non bisogna*** ou par ***non si deve*** :

Non occorre *dirlo.* (Il n'est pas nécessaire de le dire.)
Non bisogna *dirlo.* (Il ne faut pas le dire.)

- Il existe des tournures équivalentes pour exprimer l'obligation personnelle « il faut que je... », « je dois... ».

– ***Avere da*** + infinitif (▷ voir page 136) :

Ho da finire *questo lavoro per sabato.*
(Je dois finir ce travail pour samedi.)

– Le verbe ***andare*** utilisé comme auxiliaire et qui indique une idée de convenance ou d'obligation (▷ voir page 139) :

Sapete bene quello che ***va fatto****.*
(Vous savez très bien ce qu'il faut faire.)

→ **N.B.** Le verbe *s'en falloir* se rend en italien par ***mancare molto (poco)***.

È mancato poco *che non cadesse.*
(Il s'en est fallu de peu qu'il ne tombât.)

L'usage et l'oral préfèrent la forme ***quasi quasi*** :

Quasi quasi *perdevo il treno.*
(J'ai failli rater mon train. Pour peu je ratais le train.)

EXERCICES

❶ Traduire :

1. Il a plu à torrents toute la journée.
2. Il tonne depuis une heure mais l'orage n'éclate pas.
3. Il pleuvra ou il grêlera cet après-midi.
4. Je regrette de ne pas pouvoir vous aider.
5. Ce sont des choses qui arrivent.
6. Il fait trop chaud aujourd'hui.
7. Il fait des éclairs. Attention à l'orage !
8. Il se peut que Sonia vienne demain soir.
9. Il a regretté de ne pas être venu.
10. Il m'a semblé très malade.
11. Il est arrivé un accident sur l'autoroute A4.

❷ Compléter correctement les phrases suivantes pour traduire le français « il faut » :

1. ... che tu vada a trovarlo oggi.
2. ... pazienza con te !
3. In questa situazione ... stare zitti !
4. ... controllare tutti i documenti.
5. Ecco tutto quello che mi ... per fare questo piatto.
6. Non ha più niente : gli ... vendere la casa !
7. Non ... fumare nei luoghi pubblici.
8. ... (verbe au futur) del tempo prima di accettare !
9. Ormai ... rassegnarci !
10. Non ... dirglielo ; è troppo presto.

11. Gli ... molto allenamento per partecipare alla gara.
12. ... poco per convincerlo.
13. ... prepararci se vogliamo arrivare in tempo.

❸ Traduire :

1. Il faudra prendre des mesures contre les vols.
2. Pour faire les pâtes au basilic, voici ce qu'il faut.
3. Il faut des pignons, du basilic, de l'ail et du parmesan.
4. Il ne faut pas se tromper.
5. Il faut que tu prennes ce comprimé à sept heures.
6. Il allait tomber, il s'en est fallu de peu.
7. Il ne faut pas céder à un tel chantage.
8. Il lui faut absolument du repos.
9. Il me faut quelqu'un pour m'aider.
10. Il faut que je le fasse avant demain.
11. Il n'est pas nécessaire de la prévenir.
12. Il fallait que je le voie et que nous nous expliquions.

Voir corrigés page 182.

26 Les modes et les temps

1. L'infinitif

L'infinitif des verbes réguliers italiens se termine par ***-are*** (*parlare*), ***-ere*** (*credere*) ou ***-ire*** (*partire*).

a) L'infinitif substantivé

- Précédé de l'article défini, l'infinitif prend une valeur de substantif ; il peut donc être construit avec des adjectifs, des adverbes, des pronoms :

  Concordo con ***il suo dire.***
  (Je partage votre opinion.)
  Il vivere *in società impone certe regole.*
  (La vie en société impose certaines règles.)

- L'infinitif peut être employé avec l'article indéfini ***un, uno*** ; en ce cas, il indique une action générale ou confuse :

  Oggi si fa ***un gran parlare*** *del computer a scuola.*
  (Aujourd'hui, on parle beaucoup de l'ordinateur à l'école.)

• L'infinitif substantivé précédé d'une préposition qui précise sa valeur, correspond généralement à un gérondif, à un complément circonstanciel de temps :

- ***al(lo)*** + infinitif indique, en général, une simultanéité d'actions brèves :
  Al pensare *questo, mi vengono i brividi.* (En pensant à cela, j'ai des frissons.)
- ***nel(lo)*** + infinitif indique la durée (« pendant que ») :
  Nello scendere *di macchina, si è fatto male.*
  (Il s'est fait mal en descendant de voiture.)
- ***sul(lo)*** + infinitif indique le moment où l'action va avoir lieu :
  sul finire *dell'inverno* (à la fin de l'hiver)
- ***con il(lo)*** + infinitif exprime la cause, le moyen, la façon :
  Con *il suo continuo esitare, non sa mai cosa deve fare.*
  (Avec ses hésitations habituelles, il ne sait jamais ce qu'il doit faire.)

b) Emplois particuliers

• Rappelons que l'infinitif est précédé de la préposition ***a*** avec les verbes de mouvement :

Sono andato ad avvertirlo. (Je suis allé le prévenir.)
Corri a prenderlo ! (Cours le prendre !)

• Précédé du verbe ***stare per***, il peut exprimer le futur proche : « aller » + infinitif, « être sur le point de » (▷ voir page 154) :

Sta *per uscire.* (Il va sortir.)

• Employé seul, l'infinitif a valeur d'impératif :

Tenere *la destra !* (Tenez votre droite !)
Circolare ! (Circulez !)

• Précédé de ***non*** il est employé pour former la 2e personne singulier de l'impératif :

Non *lo* ***dire*** *!* (Ne le dis pas !)
Non andare *a Roma !* (Ne va pas à Rome !)

• Il peut avoir valeur de souhait :

Poterlo *fare !* (Si je pouvais le faire !)
Del denaro ! ***Averne !*** (De l'argent ! Si seulement j'en avais !)

c) La proposition infinitive

• Infinitif sans préposition

En italien, avec les verbes employés impersonnellement, on n'emploie pas de préposition :

È inutile rispondere. (Il est inutile de répondre.)
È vietato fumare. (Il est interdit de fumer.)

- Infinitif précédé de ***di***

On le trouve après les verbes exprimant une opinion, un espoir, une crainte, à condition que le sujet des deux verbes soit le même. Ex. : ***credere, pensare, sembrare, parere, sperare, dire*** :

*Mi pare **di** sognare.*
(J'ai l'impression de rêver.)
*Spero **di** poter partire stasera.*
(J'espère pouvoir partir ce soir.)
*Dicono **di** aver bisogno di una macchina.*
(Ils disent qu'ils ont besoin d'une voiture.)

EXERCICES

❶ Transformer les phrases suivantes en employant un infinitif et la préposition correcte :

1. Udendo la mia voce, mi corse incontro.
2. Tutto il pubblico applaudì, quando passò la carrozza della regina.
3. Esce quando spunta il sole.
4. È stato soltanto un gran chiacchiericcio.
5. Uscendo dalla stanza, inciampò in un filo.
6. Quando l'estate finiva, andò in Italia.
7. Alberto le dava noia quando riposava di pomeriggio.
8. Il regista mette in rilievo l'apertura e la chiusura dell'azione.
9. Si erano appena sposati quando scoppiò la guerra.
10. Si sentì male quando prese quella medicina.
11. Vedendomi, esitò a parlare.
12. Ricordando questo fatto, si sbellicava dalle risate.
13. Quando preparò la valigia, dimenticò le scarpe.
14. Manifestando i suoi sentimenti, commosse tutti.
15. Quando sopraggiunge l'estate, si svuotano le città.
16. Hai perso tempo quando hai fatto le valigie e quando sei uscito di casa.
17. Quando mi vide, incominciò a piangere.
18. Mi sono svegliata quando il sole sorgeva.

❷ Traduire :

1. J'espère que je pourrai venir.
2. Il sait qu'il a une image publique d'homme méfiant.
3. Il comprit qu'il était arrivé.
4. Je me souviens que j'ai renoncé à ce qui m'intéressait.
5. Il démontra qu'il avait compris.
6. Je pense finir ce travail pour six heures.
7. Il dit qu'il veut retourner aux États-Unis.
8. Il lui semblait voler.
9. Il est urgent de le prévenir.
10. Il suffit de remplir ce formulaire.

11. Il est allé acheter un kilo de pommes.
12. Ils sont sortis prendre un peu l'air.
13. Je comprends que j'ai eu tort.
14. Il a dit qu'il avait tout vu.
15. Il me semble que je pourrai voir ces personnes demain.
16. Il reconnut s'être trompé.
17. J'espère recevoir une lettre avant dimanche.
18. On va partir. Tu vas prendre les bagages ?

Voir corrigés page 183.

2. Le participe passé

a) Accord

- Employé avec l'auxiliaire ***avere***, il est invariable :

Ho fatto due crostate.
(J'ai fait deux tartes.)
I libri che ho comprato erano in offerta speciale.
(Les livres que j'ai achetés étaient en offre spéciale.)
Quanti libri hai comprato ?
(Combien de livres as-tu achetés ?)

- On fait l'accord si le complément d'objet direct placé avant le verbe est l'un des pronoms personnels ***lo***, ***la***, ***li*** ou ***le*** (▷ voir page 136) :

Silvia e Laura ? ***Le*** *ho vist**e** stamattina.*
(Silvia et Laura ? Je les ai vues ce matin.)

On trouve :
*Ci ha vis**to*** et *Ci ha vis**ti**.* (Il nous a vus.)

On fait l'accord avec le pronom personnel ***ne*** (partitif) :
Delle caramelle ? ***Ne*** *ho mangiate tante !*
(Des bonbons ? J'en ai mangé beaucoup !)

- Le participe passé s'accorde avec les auxiliaires ***essere***, ***andare*** et à la forme pronominale. L'accord se fait avec le sujet :

*Sono stati condannat**i**.*
(Ils ont été condamnés.)
*Queste mele vanno assolutamente mangiat**e**.*
(Il faut absolument manger ces pommes.)
*Si è comprat**a** una macchina.*
(Elle s'est acheté une voiture.)

b) La proposition participe

- Elle correspond à l'ablatif absolu latin ; elle indique qu'une action a eu lieu avant une autre. Le participe passé doit toujours être placé en tête et s'accorde avec le sujet, lequel est différent de celui de la principale :

  Finite le lezioni, Elsa ritornò a casa.
  (Les cours étant finis, [Une fois les cours finis,] Elsa revint chez elle.)

- On peut trouver cette construction avec un verbe réfléchi :

  Vistosi perduta, si mise a correre.
  (Se voyant perdue, elle se mit à courir.)

- Rappelons également la construction que l'on rencontre dans un registre plus soutenu : participe passé + ***che*** suivi de l'auxiliaire ***essere*** ou ***avere*** :

  *Arriv**ato che fu** a Milano, cercò un monolocale.*
  (Une fois arrivé à Milan, il chercha un studio.)

c) Participe passé et adjectif verbal

Le participe passé de certains verbes de la 1re conjugaison ne doit pas être confondu avec l'adjectif qui dérive du verbe (même différence en français entre « vidé » et « vide »).

Le participe passé exprime l'action, alors que l'adjectif est utilisé pour indiquer le résultat d'une action, un état :

*Questo camion è **stato caricato** male.*
(Ce camion a été mal chargé.)
*Il camion è troppo **carico**.*
(Le camion est trop chargé.)

Citons quelques verbes qui présentent les deux formes :

Infinitif	**Participe passé**	**Adjectif**
adattare (adapter)	*adattato*	*adatto*
avvezzare (habituer)	*avvezzato*	*avvezzo*
caricare (charger)	*caricato*	*carico*
chinare (pencher)	*chinato*	*chino*
destare (réveiller)	*destato*	*desto*
fermare (arrêter)	*fermato*	*fermo*
gonfiare (gonfler)	*gonfiato*	*gonfio*
guastare (abîmer)	*guastato*	*guasto*
salvare (sauver)	*salvato*	*salvo*
spogliare (dépouiller, déshabiller)	*spogliato*	*spoglio*
stancare (fatiguer)	*stancato*	*stanco*
svegliare (réveiller)	*svegliato*	*sveglio*
vuotare (vider)	*vuotato*	*vuoto*

EXERCICES

❶ Mettre au passé composé en faisant l'accord si c'est nécessaire :

1. I dischi che sento sono rari.
2. Degli apparecchi ? ne compro molti.
3. Pazienza ? ce ne vuole con lui !
4. Li vedo ogni giorno.
5. Monica va al cinema.
6. Quanta gente vedo a questo spettacolo !
7. Monica si fa fare una gonna su misura.
8. Le capisco subito.
9. Si conoscono da poco.
10. Sonia deve andare a Roma.
11. Samuele può farlo.
12. Quanti CD compri ?

❷ Avec les éléments qui suivent, former des phrases en employant une proposition participe :

1. Tornare a casa/Sonia si mise a letto.
2. Spedire la lettera/si sentì più tranquillo.
3. Dare la situazione/non poteva fare altrimenti.
4. Porre alcuni limiti/questi amici s'intendevano meglio.
5. Pettinarsi/Marco scese in salotto.
6. Partire l'aereo/cominciò a preoccuparsi.
7. Superare le difficoltà/vide più chiaro.
8. Scoppiare la guerra/lo chiamarono subito.
9. Alzarsi in ritardo/Valentina dovette sbrigarsi.
10. Partire alcune persone/l'atmosfera era meno tesa.
11. Trascorrere quindici giorni in riva al mare/andò in montagna.
12. Aggiungere alcune modifiche/tutto risultò perfetto.
13. Salire di corsa le scale/si buttò sul letto.
14. Vedere i precedenti/sarà difficile cambiare.
15. Impaurirsi/il bambino non poteva più camminare.
16. Farsi riconoscere/lo fecero entrare.
17. Finire le deliberazioni/la giuria del festival annunciò il nome del vincitore.
18. Ripristinare le comunicazioni/telefonò finalmente ai suoi.
19. Raccogliere le castagne/dovevano venderle.
20. Appena / cominciare la manifestazione/elementi non controllati aggredirono le forze dell'ordine.

❸ Compléter les phrases en employant le participe passé ou l'adjectif verbal (le verbe est à l'infinitif) :

1. Questo libro è stato (adattare) per la scuola secondaria superiore.
2. Quest'anno, gli alberi sono già (spogliare) prima dell'autunno.
3. Questo bambino è molto (svegliare).
4. Hanno (caricare) male l'autotreno, che poi si è rovesciato.
5. Scriveva (chinare) sul tavolo.

6. Sono sani e (salvare).
7. Questa soluzione è (adattare) al problema.
8. Oggi mi sono (stancare) all'allenamento.
9. Chi mi ha (svegliare) alle sei stamattina ?
10. Si è (chinare) per leggere meglio il cartello.

Voir corrigés page 183.

3. Le participe présent

Aujourd'hui, le participe présent à valeur verbale n'est pas très employé en italien sauf dans la langue bureaucratique ou dans celle des journaux :

*Ha dato una visione delle cose **non rispondente alla realtà.***
(Il a donné une vision des choses qui ne correspond pas à la réalité.)

Il peut être employé comme adjectif (***arrogante, sorridente***) ou comme nom. En ce cas il est variable en nombre :

una cantante (une chanteuse)
Sono ragazze esigenti. (Ce sont des jeunes filles exigentes.)

Lorsqu'on veut traduire un participe présent français, il faut utiliser, généralement, une proposition relative ou un gérondif (voir ci-dessous).

4. Le gérondif

Il est toujours invariable.

Emplois

- Comme complément circonstanciel, pour traduire deux actions simultanées :

*Mangia **guardando** la televisione.* (Il mange en regardant la télévision.)
*Si è fatto male **sciando**.* (Il s'est fait mal en skiant.)

Remarque

Il peut être précédé de ***pur*** et exprime une opposition (« tout en... », « bien que... ») :

Pur sapendo la verità, non dice niente. (Tout en sachant la vérité, il ne dit rien.)

On emploie le gérondif en italien, même si les deux actions ne sont pas simultanées mais faites par le même sujet (participe présent en français) :

Non potendo andare alla cerimonia, mandò un telegramma.
(Ne pouvant aller à la cérémonie, il envoya un télégramme.)

Attention :
sujet différent :

L'ho vista { ***che*** / ***mentre*** } ***saliva*** *sull'autobus.* (Je l'ai vue montant dans l'autobus.)

même sujet :

L'ho vista ***salendo*** *sull'autobus.* (Je l'ai vue en montant dans l'autobus.)

- Dans une construction absolue, avec un sujet différent pour le gérondif et la proposition principale. Le gérondif se place en tête de phrase suivi du sujet ; il exprime souvent la cause :

Mancando il direttore*, fu annullata la riunione.*
(Le directeur étant absent, la réunion fut annulée.)

- Pour indiquer une action en train de se dérouler avec les verbes ***andare***, ***stare*** ou ***venire*** :

– ***andare*** suivi du gérondif indique la durée d'une action qui se fait graduellement :

Negli ultimi tempi, siamo ***andati assistendo*** *ad uno sviluppo del mercato.*
(Ces derniers temps, nous avons assisté à un développement du marché.)

– ***venire*** suivi du gérondif indique le début ou la répétition d'un procès :

Mi ***veniva indicando*** *molti particolari.*
(Il m'indiquait beaucoup de détails.)

– ***stare*** suivi du gérondif indique que l'action est en train de s'accomplir :

Stavo ascoltando *un disco quando mi hanno chiamato.*
(J'étais en train d'écouter un disque quand ils m'ont appelé.)

EXERCICES

❶ Compléter les phrases suivantes en utilisant le gérondif :

1. (Vincere) oggi, la squadra si qualificherà per la finale.
2. Il professore sta (parlare) con il preside.
3. Non (potere) venire, ha mandato un telegramma.
4. Pur (conoscere) tre lingue, non ha trovato un lavoro soddisfacente.
5. (Vedere) tutte le difficoltà, rinunciò.
6. Stava (rientrare) in ufficio quando lo fermò un suo amico.
7. I lampioni brillavano incerti, (spandere) un pallido riflesso sul marciapiede.
8. Mi parlava (scuotere) la testa.
9. Era salito su un albero, (rifiutarsi) di scendere.
10. Qualcuno stava (suonare) il pianoforte quando sono entrato.
11. (Volere) si può fare.
12. (Ricevere) un telegramma, partiresti subito ?
13. Pur (fare) tanti sforzi, non è ricompensato.
14. Va (cercare) dappertutto le chiavi della macchina.
15. (Iscriversi) a questa associazione, si è fatto tanti amici.

❷ **Traduire en utilisant le gérondif si c'est possible :**

1. Les ventes augmentent régulièrement.
2. En souriant la jeune fille se dirigea vers lui.
3. Il continue en regardant devant lui.
4. J'essaie de comprendre ce que tu es en train de dire.
5. L'intérêt du public diminue peu à peu.
6. Le professeur étant tombé malade, la conférence fut reportée.
7. Ne faisant pas partie du personnel, vous ne pouvez pas participer à ce voyage.
8. Elle souriait à son enfant tout en ayant beaucoup de soucis.
9. Se rappelant cet épisode, il voulait demander davantage de garanties.
10. N'étant pas intéressé par ce problème, il n'écoutait pas les explications.

Voir corrigés page 184.

5. L'indicatif

En principe, les emplois de l'indicatif italien coïncident avec ceux de l'indicatif français.
Rappelons, toutefois, quelques emplois particuliers :

a) **Le présent**
peut avoir la valeur d'un **futur proche** :

Ora / *Adesso* } *ti racconto tutto.* (Je vais tout te raconter.)

b) **Le passé composé**
est utilisé pour la traduction de « venir de ».
Le passé récent par rapport à un temps présent se rend par le verbe au passé composé et une expression adverbiale de temps ***poco fa***, (***or***) ***ora*** ou bien ***appena*** :

È partito ***poco fa***. (Il vient de partir.)
Ha ***appena*** *telefonato.* (Il vient de téléphoner.)
È uscito (or) ora. (Il vient de sortir.)

Par rapport à un temps passé, il se traduit par le verbe au plus-que-parfait et l'expression ***allora*** ou ***appena*** ou encore ***da poco*** :

Era uscito ***allora*** / *Era* ***appena*** *uscito* / *Era uscito* ***da poco*** } *dall'aula quando l'hanno chiamato.*
(Il venait de sortir de la salle de cours quand ils l'ont appelé.)

c) Le futur

On l'emploie :

- pour exprimer une idée d'approximation, une possibilité ou une probabilité :

 Sarà *già arrivato.*
 (Il doit être déjà arrivé.)
 Le persiane sono chiuse, ***saranno*** *partiti.*
 (Les volets sont fermés, ils doivent être partis.)
 Che ore ***saranno*** *?*
 (Quelle heure peut-il être ?)

- dans la subordonnée conditionnelle introduite par ***se*** (▷ voir page 168) lorsque la principale est elle-même au futur :

 Se ***pioverà****, andrò al cinema.*
 (S'il peut, j'irai au cinéma.)
 Se vincerà alla lotteria, farà tanti viaggi.
 (S'il gagne au loto, il fera beaucoup de voyages.)

d) Le futur proche

On le forme avec le verbe ***stare per*** suivi de l'infinitif :

 Stavo per *dirtelo.* (J'allais te le dire.)

On peut également utiliser l'expression ***essere lì lì per*** (« être sur le point de ») :

 Ero lì lì per *chiamarti sul cellulare.*
 (J'étais sur le point de t'appeler sur ton portable.)

e) Le passé simple

L'emploi du passé simple et du passé composé est différent selon les régions. Dans l'Italie du Nord, on utilise rarement le passé simple dans la langue parlée, préférant le passé composé comme en français. C'est le contraire dans l'Italie du Sud. Ce n'est qu'en Toscane et dans l'Italie centrale qu'on emploie les deux temps avec des valeurs différentes qui sont celles que l'on retrouve dans la langue littéraire.

Ainsi, le passé simple s'emploie pour indiquer une action terminée dans le passé, sans idée de durée ou d'habitude et sans rapport avec le présent, par opposition au passé composé qui indique une action passée récente ou encore liée au présent :

 Passò *tre anni a Palermo.*
 (Il passa trois ans à Palerme.)
 Negli ultimi anni, ***sono state fatte*** *molte scoperte.*
 (Ces dernières années, beaucoup de découvertes ont été faites.)

→ **N.B.** ***È nato*** *nel 1920.* (Il est né en 1920. [il est encore vivant])
Nacque *nel 1920.* (Il naquit en 1920. [il est mort])

EXERCICES

❶ Traduire :

1. Nous venons de l'appeler au téléphone.
2. Il venait de changer de voiture quand il a eu cet accident.
3. Le train va partir, monte !
4. Je vais te raconter une histoire drôle.
5. Il allait sortir quand le téléphone a sonné.
6. – Quelle heure est-il ? – Il doit être six heures.
7. J'étais sur le point de lui répondre, tu sais.
8. Dépêche-toi ! Il va s'en aller.
9. Nous venions de sortir quand il a commencé de pleuvoir.
10. Je viens juste de t'envoyer un e-mail !

❷ Mettre le passé composé ou le passé simple à la personne qui convient (le verbe est à l'infinitif) :

1. In questi ultimi anni, la tecnologia (fare) enormi progressi.
2. La fine delle favole ? (Vivere) felici e contenti ed (avere) tanti figli.
3. Dante Alighieri (nascere) nel 1265 e (morire) nel 1321.
4. Due anni fa, alcuni miei amici (andare) in Puglia.
5. Questa mattina, un camion mi (svegliare) alle cinque.
6. In quegli anni, il poeta (scrivere) pochi versi.
7. La sua bambina (nascere) nel 1990, la mia nel 1988.
8. Quest'anno, i miei amici (comprare) una macchina giapponese.
9. Tre anni fa, io (passare) l'estate con una compagnia di ragazzi simpatici.
10. Stamattina, io e Sonia (volere) prenotare due posti per il teatro ma era già esaurito.

Voir corrigés page 184.

6. Le conditionnel

a) Le conditionnel

- **Dans la principale**, les valeurs du conditionnel sont les mêmes qu'en français : intention, possibilité d'une action, atténuation, affirmation donnée avec des réserves :

*Mi **piacerebbe** partire lontano.* (J'aimerais partir loin.)
***Direi** che va bene.* (Je pense que c'est/ça va bien.)
*Terremoto : i morti **sarebbero** duemila.*
(Tremblement de terre : il y aurait deux mille morts.)

Il sert aussi à exprimer l'indécision, l'hésitation ou l'ironie :

*Quasi quasi lo **prenderei**.* (J'ai presque envie de le prendre.)
***Sarebbe** questa la sua casa !* (C'est ça sa maison !)

- Dans une subordonnée, pour indiquer le futur dans le passé, on utilise le conditionnel passé (en français, nous avons le conditionnel présent) :

  *Aveva detto che non si **sarebbe ottenuto** niente.*
  (Il avait dit qu'on n'obtiendrait rien.)
  *Ero sicuro che **sarebbe venuto**.*
  (J'étais sûr qu'il viendrait.)

b) **Le conditionnel français se traduit par un subjonctif italien** (▷ voir page 160) :

- dans les relatives ayant une valeur hypothétique, exprimant une éventualité :

  *Oggi, un settimanale che **volesse** aumentare il numero dei suoi lettori, dovrebbe essere originale.* (Aujourd'hui, un hebdomadaire qui voudrait augmenter le nombre de ses lecteurs devrait être original.)

- après ***chiunque*** (« quiconque ») :

  *Chiunque lo **sapesse**, te lo direbbe.*
  (Quiconque le saurait, te le dirait.)

- après ***nel caso che*** (« au cas où »), ***quand'anche*** (« quand bien même ») :

  *Nel caso che non ci **fossi**, lasci il pacco alla portinaia.*
  (Au cas où je ne serais pas là, laissez le paquet à la concierge.)
  *Quand'anche lo **sapessi**, non te lo direi.*
  (Quand [bien] même je le saurais, je ne te le dirais pas.)

- dans les propositions comparatives :

  *Correva come uno che **avesse** avuto la polizia alle calcagna.*
  (Il courait comme quelqu'un qui aurait eu la police aux trousses.)

EXERCICES

❶ Mettre au passé les phrases suivantes :

1. Si chiede se visiteranno la sua mostra.
2. Sono sicuro che potrà farlo.
3. I giornalisti affermano che ci saranno tafferugli allo stadio.
4. Ignoro chi parteciperà alla gita.
5. Telefona a sua moglie per dirle che avrà tre ore di ritardo.
6. Dice che non lo dirà a nessuno.
7. Dichiara che darà le dimissioni.
8. Il direttore dice che fra poco uscirà un libro su questo argomento.
9. L'impresario afferma che l'attore non farà più film di questo genere.
10. Sono convinto che verrà.
11. Il farmacista è convinto che questa medicina sarà molto efficace.

❷ **Traduire :**

1. Quiconque voudrait participer au concours devrait s'inscrire avant le 20.
2. Un étudiant qui voudrait apprendre le chinois devrait faire des séjours linguistiques en Chine.
3. Au cas où vous n'auriez pas pu le prévenir, faites-le tout de suite.
4. Quand bien même vous me donneriez le double, je ne vous vendrais pas cette petite table.
5. Il court comme quelqu'un qui aurait peur.
6. Il a presque envie d'y aller mais il hésite encore.
7. Quand bien même il s'excuserait, je ne lui pardonnerais pas.
8. Une chaîne de télévision qui donnerait moins de place à la publicité serait appréciée du public.
9. Une mère qui serait moins oppressive ferait moins de mal à son fils.
10. Quand bien même tu serais près d'elle, cela ne changerait rien.
11. Il m'avait promis qu'il viendrait.
12. J'étais sûr qu'il gagnerait.

Voir corrigés page 184.

7. L'impératif

a) Formes

● L'impératif emprunte ses formes à l'indicatif présent et au subjonctif présent. Celui-ci donne la 3e personne du singulier et la 3e du pluriel pour former la personne de politesse, cette dernière étant de moins en moins utilisée (▷ voir page 59) :

Venga ! (Venez !)
Mi scusino ! (Excusez-moi !) (quand on s'adresse à plusieurs personnes que l'on vouvoie).

L'indicatif présent fournit la 1re et la 2e personne du pluriel et la 2e personne du singulier.

EXCEPTIONS la 2e personne du singulier des verbes en ***-are*** (1re conjugaison) :
*Ascolt**iamo** !* (Écoutons !)
*Usc**ite** !* (Sortez !)
*Vien**i** !* (Viens !)
*Cred**imi** !* (Crois-moi !)

mais :
parlare → parla ! (parle !)
mangiare → mangia ! (mange !)

- L'impératif négatif à la 2e personne du singulier est formé par l'infinitif précédé de ***non*** :

 Non parlare ! (Ne parle pas !)
 Non ridere ! (Ne ris pas !)

Aux autres personnes on utilise les formes de l'impératif affirmatif précédées de ***non*** :

 ***Non** and**ate** laggiù !* (N'allez pas là-bas !)

Rappelons le redoublement de la consonne initiale des pronoms atones à la 2e personne du singulier de l'impératif monosyllabique des verbes ***fare, andare, dire, dare, stare*** (▷ voir page 58) :

 *Da**mmi** !* (Donne-moi !)
 *Sta**mmi** bene a sentire !* (Écoute-moi bien !)

EXCEPTIONS avec ***gli*** :

 *Di**gli** di venire !* (Dis-lui de venir !)

- Le pronom est enclitique à la forme affirmative, sauf ***loro*** (▷ voir page 58) :

 *Prendi**lo** !* (Prends-le !)
 *Parlate**gli** !* (Parlez-lui !)
 *Parla **loro** !* (Parle-leur !)

À la forme négative, il n'y a plus enclise du pronom sauf à la 2e personne du singulier où elle est possible :

 Non lo fate ! (Ne le faites pas !)
 Non lo fare ! ou bien ***Non farlo !*** (Ne le fais pas !)

- Attention à l'impératif des verbes pronominaux :

alzarsi (se lever)	**Impératif**	**Impératif négatif**
	alzati ! *si alzi !* *alziamoci !* *alzatevi !* *si alzino !*	*non ti alzare ! (non alzarti)* *non si alzi !* *non alziamoci !* *non alzatevi !* *non si alzino !*

b) Emplois

L'impératif a les mêmes emplois qu'en français. Soulignons toutefois un emploi particulier de l'impératif répété à la 2e personne du singulier ; il indique une action prolongée, que l'on répète avec effort :

 Pesca, pesca, *hanno preso dieci pesci.*
 (À force de pêcher, ils ont pris dix poissons.)

EXERCICES

❶ Mettre à l'impératif :

1. Signora, (venire) subito ! l'aspettiamo. Non (perdere) tempo !
2. Bambina, (essere) buona, non (toccare) niente !
3. Alberto, (comprare) il pane e la frutta !
4. Professore, (prendere) questa tesi e (leggere) queste due pagine.
5. Ragazzi ! (stare) attenti, non (fare) imprudenze e (tornare) presto !
6. Signori, (fare) il necessario !
7. Amici ! tutti insieme (avvertire) i nostri genitori poi (andare) al cinema !
8. Signor Direttore, (telefonare) a questo cliente e (prendere) accordi per domani !
9. Paolo, (telefonare) subito a tua madre !
10. (Venire) tutti e (ascoltarmi) bene !

❷ Mettre à la forme négative :

1. Preparati e va' !
2. Rispondimi e fallo !
3. Cerca di spiegarmi !
4. Partite subito, correte !
5. I dischetti, comprameli !
6. Va' a vedere questo film !
7. Fumate nei locali pubblici !
8. Leggimi questa lettera !
9. Pensaci e agisci !
10. Riempite il modulo e firmatelo !

❸ Mettre à la forme négative :

1. Dimmelo, ti prego !
2. Preparati subito !
3. Vendiamogliela !
4. Compriamoli !
5. Occupiamocene !
6. Mandategliele !
7. Portamelo !
8. Dammeli !
9. Lasciamolo !
10. Vestiamoci e usciamo !

❹ Mettre à la forme affirmative :

1. Non farlo aspettare !
2. Non li mangiate !
3. Non farmi questo piacere !
4. Non parlare !
5. Non lo ascoltiamo !
6. Non rispondermi !
7. Non dirgli la verità !
8. Non glielo dare !
9. Non prendermela !
10. Non darmeli !

Voir corrigés page 184.

8. Le subjonctif

C'est le mode de la subordination et de l'incertitude, le mode du subjectif, de l'opinion personnelle. Rappelons que tous les verbes qui sont au subjonctif en français doivent l'être aussi en italien en respectant la concordance des temps (▷ voir page 163).

a) Le subjonctif dans la principale

- à la 3e personne de politesse pour exprimer un ordre :
  *Se ne **occupi** !* (Occupez-vous-en !)
  ***Venga** !* (Venez !)
  *Mi **scusino**, signori !* (Excusez-moi, messieurs !)

- dans les expressions indiquant un désir, un souhait, un ordre ou un regret, dans des exclamatives :
  ***Potessi** andarci !* (Si je pouvais y aller !)
  *Magari **venisse** !* (Si seulement il venait !)
  *Che non **accada** più !* (Que cela n'arrive plus !)

- pour exprimer le doute après ***che*** interrogatif :
  *Non è arrivato. Che **abbia** la febbre ?*
  (Il n'est pas arrivé. Aurait-il de la fièvre ?)
  *Che **sia** lui ?* (Serait-ce lui ?)

- dans des expressions concessives :
  ***Sia** pure come dici tu, non sono d'accordo.*
  (Même si c'est comme tu le dis, je ne suis pas d'accord.)

b) Le subjonctif dans la subordonnée

- Comme en français :

– après les conjonctions indiquant le but :
  affinché (afin que)
  perché (pour que)

– après les conjonctions indiquant l'opposition, la concession :
  sebbene, benché, quantunque (bien que)

– la restriction :
  a meno che (à moins que)
  senza che (sans que)

– l'antériorité :
  prima che (avant que)

– et la condition :
  purché (pourvu que)
  a patto che, a condizione che (à condition que)

– après les verbes impersonnels exprimant un conseil, une obligation, une probabilité, une possibilité :

è probabile, bisogna, è necessario che...
(il est probable, il faut, il est nécessaire que...).

– après les verbes qui expriment un sentiment (joie, crainte), un regret, un souhait :

*Mi auguro che tu **venga** a questa festa.*
(Je souhaite que tu viennes à cette fête.)
*Mi dispiace che **sia** già partito.*
(Je regrette qu'il soit déjà parti.)

● Contrairement au français :
– après les verbes indiquant une opinion personnelle, une impression, une incertitude à la forme affirmative. Ce sont les verbes ***pensare***, ***credere***, ***parere***, ***sembrare***, ***si dice***, ***dicono che***...

*Mi pare che ci **sia** una contraddizione.*
(Il me semble qu'il y a une contradiction.)
*Penso che **sia** sposato.*
(Je pense qu'il est marié.)

Ces verbes peuvent exprimer une certitude, en ce cas on emploie l'indicatif :

*Dice che Silvia **verrà**.*
(Il dit que Silvia viendra.)
*Lei crede che Dio **esiste**.*
(Elle croit que Dieu existe.)

– après le verbe ***sperare*** :

*Spero che tu **sia** contento.*
(J'espère que tu es content.)
*Spero che tu **venga** domani.*
(J'espère que tu viendras demain.)

– dans les relatives à valeur hypothétique, où l'on emploie le conditionnel en français (▷ voir page 155) :

*Un direttore che **conoscesse** bene la ditta, non avrebbe fatto un errore simile.* (Un directeur qui connaîtrait bien la maison n'aurait pas fait une telle erreur.)

– dans les propositions comparatives :

*È più difficile di quanto io non **pensassi**.*
(C'est plus difficile que je ne pensais.)

– dans les interrogatives indirectes :

*Mi domando cosa tu **possa** fare in questa situazione.*
(Je me demande ce que tu peux faire dans cette situation.)
*Mi chiedevo perché non **avesse** fatto questo lavoro.*
(Je me demandais pourquoi il n'avait pas fait ce travail.)

– dans la subordonnée hypothétique avec ***se*** (« si ») (▷ voir page 168) :

*Se **potessi**, partirei subito.*
(Si je pouvais, je partirais tout de suite.)

EXERCICES

❶ Compléter les phrases en choisissant la forme verbale correcte :

1. Aspettiamo che ... prima di applaudire !
   a) finisce b) finirà c) abbia finito
2. È necessario che tutto ... pronto per il suo arrivo !
   a) sia b) sarà c) è
3. Mi pare che il treno ...
   a) è arrivato. b) sia arrivato. c) arrivava.
4. Spero che tu ... la verità.
   a) dici b) dica c) dicevi
5. Mi auguro che quest'albergatore ... prezzi convenienti.
   a) farà b) fa c) faccia
6. C'è una valigia nell'ingresso. Che Giovanni ...
   a) è tornato ? b) sia tornato ? c) tornava ?
7. Il terreno è troppo asciutto. Magari ...
   a) piove ! b) pioverà ! c) piovesse !
8. Bisogna che tu ... stasera.
   a) venga b) vieni c) verrai
9. Bastava che voi ... i posti.
   a) prenotavate b) prenotaste c) prenotate
10. Una città che ... sviluppare il turismo dovrebbe essere più accogliente.
    a) vorrebbe b) vuole c) volesse
11. Mi pare che tutto ...
    a) è pronto b) sia pronto c) sarebbe pronto
12. Vorrei che tu ...
    a) venissi b) venga c) fossi venuto

❷ Avec les éléments ci-dessous, former toutes les phrases correctes possibles :

1.

Sono sicuro		Giulia venga.
È probabile	che	Giulia venisse.
Non ero sicuro		Giulia verrà.

2.

Fa di tutto		nulla potesse coglierlo di sorpresa.
Ha fatto di tutto	perché	nulla possa coglierlo di sorpresa.
Faceva di tutto		

❸ Traduire :

1. Je savais qu'il accepterait.
2. Nous espérons que vous êtes tous satisfaits.
3. Je n'ai pas trouvé son adresse bien que je l'aie beaucoup cherchée.
4. Il me semble que c'est trop tard.
5. Il ne supporte pas que les étudiants demandent des éclaircissements.
6. Je me demande comment il a fait.
7. Je voudrais que les magasins restent ouverts plus tard le soir.
8. Je crois que tu as tort.

9. Il se peut qu'il le fasse.
10. Il fallait qu'il vienne et que je lui parle.
11. Je me demande comment cela a pu arriver.
12. Il me semble que tu peux compter sur lui.
13. Il croyait que tu allais à Rome.
14. Ils voulaient que la commission se réunisse très vite.

Voir corrigés page 185.

9. La concordance des temps

Elle est beaucoup plus stricte qu'en français.
On emploiera :

- le subjonctif présent ou passé dans la subordonnée si le verbe de la principale est au présent, au futur de l'indicatif ou à l'impératif.

- le subjonctif imparfait ou plus-que-parfait dans la subordonnée si le verbe de la principale est à un temps passé (imparfait, passé simple, temps composés) ou au conditionnel.

Rappelons l'emploi du conditionnel passé lorsque nous sommes en présence d'un futur dans le passé (▷ voir page 156).

La concordance des temps

Proposition principale	Proposition subordonnée
È contento, sarà contento (Il est content, il sera content	*che tu **venga** al cinema.* que tu viennes au cinéma.)
Penso (Je pense	*che **sia** già arrivato.* qu'il est déjà arrivé.)
Facciamolo (Faisons-le	*perché **sia** contento.* pour qu'il soit content.)
Non so (Je ne sais pas	*se **sia** utile.* si c'est utile.)
Voleva, ha voluto, vorrebbe (Il voulait, il a voulu, il voudrait	*che tu **venissi**.* que tu viennes.)
Non sapevo (Je ne savais pas	*se **fosse** utile.* si c'était utile.)
Pensava, ha pensato, pensò (Il pensait, il a pensé, il pensa...	*che tu **fossi** già arrivato.* que tu étais déjà arrivé.)

EXERCICE

Mettre au passé (imparfait, passé simple...) la proposition principale en respectant la concordance des temps dans la subordonnée :

1. Voglio che tu ubbidisca.
2. È necessario che lei faccia queste analisi.
3. L'hanno accettato sebbene sia arrivato in ritardo.
4. Fa la spesa prima che sua moglie torni con i bambini.
5. Lavora fino a tardi affinché tutto sia pronto.
6. Basta un po' di tempo perché tutto sia sistemato.
7. Vengo a patto che tu inviti tuo fratello.
8. Escono sebbene piova a dirotto.
9. Per quanto sia comoda quest'autostrada, non mi piace andarci.
10. Non so se sia arrivato.
11. È giusto che egli riesca bene.
12. È sufficiente che tu risponda al questionario.
13. Mi chiedo come faccia Laura a sopportarlo.
14. È normale che non sappiate la risposta.
15. Mi sembra impossibile che tu sia già arrivato.
16. Mi dispiace che tu parta.
17. Penso che il congresso cominci il 14 settembre.
18. Parte senza che i suoi genitori lo sappiano.
19. Bisogna che tu metta in ordine queste schede.
20. Temo che Simone debba prendere provvedimenti urgenti.

Voir corrigés page 185.

27 La syntaxe de la phrase complexe

Nous ne présentons que quelques subordonnées, certaines ayant déjà été étudiées précédemment (▷ voir pages 112, 151, 153, 160).

1. La subordonnée comparative

- La comparative d'égalité.

On la trouve avec les corrélations ***così ... come***
tanto ... quanto
tale ... quale

Dans la subordonnée, on emploie l'indicatif ou le conditionnel :

*Era tanto contento quanto lo **eravamo** noi.*
(Il était aussi content que nous l'étions.)
*Il museo d'Orsay è tale quale me l'**immaginavo**.*
(Le musée d'Orsay est tel que je me l'imaginais.)

- La subordonnée comparative de supériorité et d'infériorité.

On la forme avec ***più*** (***meno***)... ***di quanto***
di quello che
che
di come

On emploie l'indicatif, le conditionnel ou le subjonctif ; ce dernier est utilisé lorsqu'il s'agit d'un fait incertain, virtuel :

*Questi lavori sono più lunghi di quanto io non **pensassi**.*
(Ces travaux sont plus longs que je ne pensais.)
*È meno timido di quello che **avrei immaginato**.*
(Il est moins timide que je ne l'aurais imaginé.)

- La conjonction ***come se*** qui introduit une subordonnée comparative hypothétique est toujours suivie du subjonctif imparfait ou plus-que-parfait selon le temps de la principale :

*Si trucca come se **avesse** ancora vent'anni.*
(Elle se maquille comme si elle avait encore vingt ans.)
*Cantava come se **avesse bevuto**.*
(Il chantait comme s'il avait bu.)

EXERCICE

Traduire :

1. Les fables sont parfois moins loin de la réalité qu'elle ne paraissent.
2. Il est plus exigeant que je ne pensais.
3. Votre séjour sera plus agréable que vous ne pouvez l'imaginer.
4. Il se comporte comme s'il était le directeur.
5. La journée a été plus belle que nous ne l'avions espéré.
6. La conférence a été moins intéressante que nous ne l'imaginions.
7. Le professeur est plus sévère que je ne pensais.
8. Vous irez aussi vite que vous pourrez.
9. Il nous a regardés comme s'il ne nous avait jamais rencontrés.
10. Elle riait comme si elle voulait tout oublier.

Voir corrigés page 185.

2. La proposition concessive

Elle est introduite :

- par les conjonctions ***benché***, ***sebbene***, ***quantunque***, ***nonostante*** (***che***) ;

- par les locutions conjonctives ***per quanto***, ***quand'anche***, ***per*** + adj. et verbe ***essere*** au subjonctif, ***anche se***, ***neanche se*** (dans une phrase négative) ;

- par les pronoms ou les adjectifs indéfinis ***chiunque***, ***qualunque*** ;

- par ***pur*** suivi du gérondif :
  Pur *non* ***avendo*** *le stesse opinioni, ho votato come te.*
  (Tout en n'ayant pas les mêmes opinions, j'ai voté comme toi.)

La subordonnée est toujours au subjonctif sauf avec ***anche se*** qui est parfois suivi de l'indicatif lorsqu'il s'agit d'un fait réel :
Anche se ***avevo*** *ragione, sono stato zitto.*
(Même si j'avais raison, je me suis tu.)

Mais s'il s'agit d'une hypothèse, l'emploi du subjonctif est obligatoire :
Anche se tu me lo ***regalassi****, non lo vorrei.*

ou la construction très italienne :
Neanche se tu me lo ***regalassi*** *lo vorrei.*
(Même si tu me le donnais, je ne le voudrais pas.)

Subordonnée : subjonctif présent	**Principale : futur ou présent**
Per quanto / ***Nonostante*** / ***Benché*** / ***Sebbene*** / ***Quantunque*** } ***siano*** *stanchi,*	*continuano a camminare.*
(Bien qu'ils soient fatigués	ils continuent à marcher.)
Per *stanchi* ***che siano***	*continuano a camminare.*
(Tout fatigués qu'ils sont,	ils continuent à marcher.)
Qualunque siano *le difficoltà*	*comincerò questo lavoro.*
(Quelles que soient les difficultés,	je commencerai ce travail.)

Subordonnée : subjonctif imparfait ou plus-que-parfait	Principale : imparfait ou conditionnel
Quand'anche *glielo* ***chiedessi*** (Quand bien même tu le lui demanderais,	*non ti* ***direbbe*** *niente.* il ne te dirait rien.)
Nonostante / Benché / Sebbene *fosse in ritardo* (Bien qu'il fût en retard,	*continuava a parlare al telefono.* il continuait à parler au téléphone.)
Anche *se* ***avesse*** *avuto un abbonamento* (Même s'il avait eu un abonnement	*non* ***sarebbe*** *entrato.* il ne serait pas entré.)

EXERCICES

❶ Conjuguer le verbe entre parenthèses au mode et au temps qui conviennent :

1. Benché non (avere) molto denaro, vogliono fare un lungo viaggio.
2. Sono partiti sebbene (esserci) lo sciopero.
3. Lavorava nonostante (avere) la febbre.
4. Per stanchi che (essere), non smettono di lavorare.
5. Per ricco che (essere), nessuno lo riceve.
6. Non è stato assunto in questa ditta nonostante (avere) fatto una buonissima impressione.
7. Per quanto mi (trattare) cortesemente, non lo stimo.
8. Per quanto (andare) piano, finirà gli studi un giorno o l'altro.
9. Per quanto (essere) scrittore, le sue lettere erano piene di errori.
10. Benché questo ragazzino (fare) tanti sforzi, non riesce negli studi.

❷ Traduire :

1. J'attends sa visite bien qu'il ne m'ait pas prévenu.
2. Quoique nous connaissions très bien la région, il y a toujours quelque chose à découvrir.
3. Pour intelligent qu'il soit, il ne réussira pas.
4. Tout malins que vous êtes, vous n'arriverez pas à le tromper.
5. Ils l'ont accepté bien qu'il se soit présenté en retard.
6. Si intéressante que soit la conférence, personne ne veut y aller.
7. Même si vous changez d'avis, l'affaire est conclue.
8. Même si tu partais très loin, tu ne résoudrais pas tes problèmes.
9. Même si vous me l'aviez juré, je ne l'aurais pas cru.

10. Il y va lentement même s'il est en retard.
11. Aussi honnêtement qu'il mène ses affaires, personne n'a confiance en lui.
12. Tout docteur qu'il est, il ne sait pas bien faire les piqûres.
13. Bien que tu aies passé cet examen facilement, il y a encore beaucoup à faire.
14. Pour président du Conseil qu'il soit, j'ai l'impression que cela ne changera rien.

Voir corrigés page 186.

3. La subordonnée conditionnelle

- Avec la conjonction ***se***

Proposition subordonnée	Principale
condition possible : futur *Se **pioverà*** (S'il pleut,	futur ***andrò** al cinema.* j'irai au cinéma.)
irréel du présent : subjonctif imparfait *Se **piovesse*** (S'il pleuvait,	conditionnel présent ***andrei** al cinema.* j'irais au cinéma.)
irréel du passé : subjonctif plus-que-parfait *Se **avessi vinto** alla Lotteria,* (Si j'avais gagné à la Loterie,	conditionnel passé ***avrei fatto** un bel viaggio.* j'aurais fait un beau voyage.)

- Avec d'autres conjonctions comme : ***purché*** (« pourvu que »), ***a condizione che***, ***a patto che*** (« à condition que »), ***ammesso che*** (« en admettant que »), ***qualora***, ***nel caso che*** (« au cas où »), on utilise toujours le subjonctif dans la subordonnée en respectant la concordance des temps. Il en est de même avec le relatif indéfini ***chi*** et avec ***chiunque*** (« quiconque », « toute personne », « tous ceux qui ») :

*Le farei questo favore { qualora / nel caso che } me lo **chiedesse**.*

(Je lui rendrais service au cas où elle me le demanderait.)

*Lo direi a chiunque (chi) me lo **chiedesse**.*

(Je le dirais à toute personne qui me le demanderait / à tous ceux qui me le demanderaient.)

EXERCICES

❶ Transformer les phrases selon le modèle :

Se non verrà, andrò da solo al cinema.
→ *Se non venisse, andrei da solo al cinema.*

1. Se sarà ricco, farà il giro del mondo.
2. Se studierai, potrai diventare qualcuno !
3. Se verrai, ti farò vedere il film del nostro viaggio.
4. Se impareremo il tedesco, sarà facile andare in Germania.
5. Se arriverai in ritardo, ci sarà comunque qualcuno ad aspettarti.
6. Se passerai da Firenze, verrai a trovarci ?
7. Se perderai il treno, ti accompagnerò con la macchina.
8. Se comprerai il pesce, potrò preparare un buonissimo piatto.
9. Se ci sarà lo sciopero delle ferrovie, prenderemo l'aereo.
10. Se andrai a una velocità così alta, rischierai un incidente.

❷ Transformer les phrases de l'exercice précédent selon le modèle :

Se non verrà, andrò da solo al cinema.
→ *Se non fosse venuto, sarei andato da solo al cinema.*

❸ Compléter les phrases au mode et au temps qui conviennent :

1. Qualora (passare) da Venezia, andate a vedere la mostra.
2. Se non (studiare) bene quel progetto, avremmo avuto maggiori difficoltà.
3. Se tu (avere) voglia, potremmo andare al ristorante.
4. Possiamo organizzare una serata a patto che lui (venire).
5. Ammesso che (essere) presente, potrà dire quello che pensa.
6. Se (prendere) l'aereo, perderesti meno tempo.
7. Nel caso che la lettera (essere) persa, deve rifare la domanda.
8. Lo spettacolo comincerà a patto che il tenore (stare bene).
9. Se tu mi (accompagnare), sarei più tranquilla.
10. Se (comprare) un nuovo computer, guadagneremmo tempo.

❹ Conjuguer le verbe au mode et au temps qui conviennent :

1. Sembrava che egli (essere) arrabbiato.
2. Non sapevo che tu (essere) arrivato.
3. Poiché questo impiegato non mi (volere) rispondere, mi rivolgerò ad un altro.
4. Ha lasciato la regione perché il clima (essere) troppo umido.
5. Si preoccupa che tu non (partire) con loro.
6. Se (volere), potrebbe farlo.
7. Non capisco che tu (essere) così nervoso.
8. Fallo rimanere a casa affinché (riposarsi) un po'.
9. Verrò se tu mi (invitare).
10. Mi auguro che voi (venire) per Natale.
11. Ti ha telefonato, non perché (essere) preoccupato, ma perché (volere) sentire la tua voce.
12. Anche se (avere) ragione, per ora non dire niente !

13. Credo che lui (arrivare) domani.
14. Penso che questi amici (venire) stasera.
15. Ripeti la lezione fino a quando non la (imparare).
16. Diglielo prima che Maria (andarsene).
17. Rimaniamo fuori finché (essere) bello.
18. Spero che i tuoi (stare) bene.
19. Sembrava che la squadra (vincere) il campionato.
20. Per quanto (cercare) di non farsi vedere, l'attrice fu riconosciuta.
21. Ne parlerò ai tuoi affinché loro (decidere).
22. Finché tu (essere) direttore, devi controllarti.
23. Ha gli occhi stanchi perché (leggere) troppo.
24. Il tempo è stato più brutto di quanto si (prevedere).
25. Pensavo che l'orologio (rompere).
26. Aspettavano che il treno (arrivare) per salutarla.
27. Il professore sperava che gli studenti (capire).
28. Credo che (valere) la pena sforzarsi un po'.
29. Bastava che tu glielo (chiedere).
30. Sembra che lo sciopero (essere) revocato.
31. Se ne andò come se non (succedere) niente.
32. Chi mi (volere) saprebbe dove trovarmi.
33. Ti avrei avvertito se tu mi (lasciare) il numero di telefono.
34. Chiunque lo (sapere), te lo direbbe.
35. Mi diceva che mi (aiutare).
36. Telefonatemi prima che io (partire).
37. Se (visitare) Lucca, dovrai salire sulla Torre Guinigi.
38. Non può suonare il pianoforte senza che i vicini (lamentarsi).
39. Non ero sicuro che tutti (dire) la verità.
40. Non partire finché Nicola non (tornare).
41. Lavora meglio di quanto io non (pensare).
42. Qualora la segretaria (essere) malata, non ci sarebbero problemi.
43. Farò come se io non lo (conoscere).
44. Sono contento che tutto (procedere) bene.
45. Cerco una casa che (avere) un giardino.
46. Sperano che i politici (prendere) provvedimenti.
47. L'ho chiamato perché tutto quanto (essere) troppo difficile.
48. L'ho chiamato affinché mi (aiutare).
49. Se (volere), avrebbe potuto farlo.
50. Verrò, a meno che (esserci) qualche contrattempo.

Voir corrigés page 186.

Corrigés des exercices

2 L'article

❶ **1.** lo straniero – **2.** la verità – **3.** l'avarizia – **4.** il braccio – **5.** l'amico – **6.** lo yoga – **7.** il sogno – **8.** il letto – **9.** la spiaggia – **10.** il paese – **11.** l'anima – **12.** lo/la psichiatra – **13.** il sentimento – **14.** la strada – **15.** l'insetto – **16.** la zanzara – **17.** l'imbuto – **18.** lo scaldabagno – **19.** il tavolo – **20.** la zia – **21.** la madre – **22.** lo stipendio – **23.** lo pseudonimo – **24.** la riunione

❷ **1.** un invito – **2.** una visita – **3.** uno spazio – **4.** un'anatra – **5.** un esercizio – **6.** un animo – **7.** una foglia – **8.** un inverno – **9.** una camera – **10.** un astrologo – **11.** uno sceicco – **12.** un'estate – **13.** un medico – **14.** una primavera – **15.** uno zero – **16.** uno pneumatico – **17.** una lezione – **18.** una pietra – **19.** uno psicologo – **20.** una canzone – **21.** uno gnomo – **22.** un uovo – **23.** una matita – **24.** un ingegnere

❸ **1.** un'invenzione pratica – **2.** un'artista intelligente – **3.** uno stipendio buono – **4.** un successo strepitoso – **5.** una storia incredibile – **6.** un lavoratore onesto – **7.** un errore stupido – **8.** un architetto straordinario – **9.** un avvocato ricco – **10.** una chiesa antica – **11.** un vicolo stretto – **12.** un tipo strano – **13.** un silenzio profondo – **14.** un incidente spaventoso

❹ **1.** *l'Otello* – **2.** il *Mosè* – **3.** Caravaggio – **4.** Giovanni – **5.** Puccini – **6.** il David – **7.** la *Turandot.*

❺ **1.** gli alberi – **2.** la nebbia – **3.** uno pseudonimo – **4.** gli gnomi – **5.** un'occasione – **6.** un famoso tennista – **7.** la pittura è un modo... – **8.** Gli antichi Greci... un profondo senso – **9.** gli gnocchi – **10.** Il Garda è il più grande lago italiano – **11.** un'amica – **12.** degli amici – **13.** una settimana vale l'altra – **14.** Gli scacchi – **15.** Il nuoto è uno sport...

❻ **1.** Va a scuola. – **2.** Non ho ancora visitato Creta. – **3.** Conoscete il Madagascar ? – **4.** Il monte Rosa è la cima più alta d'Italia. – **5.** È andata alla scuola elementare a cinque anni. – **6.** Lavora di notte. – **7.** La Torre de Pisa è molto conosciuta. – **8.** Tiene il giornale in mano.

❼ **1.** sul successo della campagna... – **2.** Nell'ultimo numero del settimanale... – **3.** dalle strade, dai vicoli. – **4.** al centro dell' attenzione. – **5.** del problema dei locali. – **6.** all'ingresso del cinema. – **7.** sul giornale. – **8.** sui risultati delle ultime elezioni. – **9.** dalla finestra. – **10.** davanti agli sportelli.

4 L'adjectif

❶ **1.** La pianista è brava. – **2.** L'operaia è abile. – **3.** La scrittrice è simpatica. – **4.** La duchessa arrivò, era elegante. – **5.** La studentessa sarà promossa. – **6.** La fioraia è una donna alta e bionda. – **7.** La dottoressa è anziana, distinta e gentile. – **8.** L'infermiera è inglese. – **9.** La mia amica è spagnola. – **10.** La farmacista è italiana.

❷ **1.** Sono uova fresche. – **2.** Sono finite le stagioni delle piogge. – **3.** Hanno caricato le valigie sulle macchine. – **4.** Sono piaciuti i monologhi degli attori. – **5.** I biologi e i chirurghi sono andati... – **6.** Le analisi dei problemi hanno avuto forti echi sui giornali locali. – **7.** Gli etnologi hanno pubblicato tanti libri. – **8.** Dei sismi hanno colpito le province nordiche. – **9.** Senza gli aiuti degli speleologi, i miei amici non riuscivano a salvarsi.

❸ **1.** Questi cosmetici mi hanno provocato allergie. – **2.** I medici sono passati alle 9.30. – **3.** I meccanici non hanno capito nulla. – **4.** Gli amici di Cristina sono greci. – **5.** I suoi colleghi sono usciti. – **6.** La neve è caduta sui pendii. – **7.** Gli studi degli avvocati sono chiusi.

❹ **1.** tre bracci – **2.** le braccia – **3.** le ciglia – **4.** i fili – **5.** i fondamenti – **6.** due dita – **7.** le dita – **8.** i membri – **9.** le ossa – **10.** le mura.

❺ **1.** la formica – **2.** la mancia – **3.** la magia – **4.** il re – **5.** la musica – **6.** la moto – **7.** il bianco – **8.** la goccia – **9.** la carie – **10.** l'amico – **11.** la moglie – **12.** il centinaio – **13.** la strega – **14.** la camicia – **15.** la verità – **16.** la crisi – **17.** l'arancia – **18.** la guardia – **19.** l'ago – **20.** la ciliegia – **21.** il duca – **22.** il ricco – **23.** la farmacia – **24.** la fascia

❻ **1.** le banconote – **2.** i campisanti – **3.** i capireparto – **4.** le ferrovie – **5.** gli andirivieni – **6.** i malesseri – **7.** i tritacarne – **8.** i capiufficio – **9.** le casseforti – **10.** gli altorilievi – **11.** i capiofficina – **12.** i manoscritti – **13.** i grattacieli – **14.** le messinscene – **15.** i dopobarba – **16.** i sottotenenti – **17.** i rompicapi – **18.** i sottopassaggi – **19.** i capisezione – **20.** i paracadute – **21.** gli asciugamani

❼ **1.** le canzoni popolari – **2.** le case antiche – **3.** i baci materni – **4.** i giorni piovosi – **5.** i vestiti vecchi – **6.** i cuochi simpatici – **7.** i cantanti ciechi – **8.** le zie antipatiche – **9.** le gonne rosa – **10.** i numeri pari – **11.** i camion carichi – **12.** gli uomini dappoco – **13.** i centri storici – **14.** i ragazzi greci

❽ **1.** nuove – **2.** squisiti – **3.** pesanti – **4.** pronti – **5.** tedesca – **6.** scuciti – **7.** bellissimi – **8.** immense – **9.** vecchio – **10.** famose – **11.** tranquilla – **12.** attente.

❾ **1.** un bell'armadio – **2.** Santo Stefano – **3.** un bel castello – **4.** un bell'incontro – **5.** begli occhi – **6.** belli – **7.** Sant'Antonio – **8.** un gran calore – **9.** una grande idea – **10.** i bei capelli – **11.** santa Caterina – **12.** bello stipendio.

5 Les comparatifs

❶ **1.** più utile del vino. – **2.** più alto della chiesa. – **3.** più (meno) potente della mia. – **4.** più fedele del gatto. – **5.** più grande della Corsica. – **6.** più (meno) nervoso di ieri. – **7.** più per dovere che per piacere. – **8.** più forte di me. – **9.** più (meno) veloce di noi. – **10.** più noie che gioie.

❷ **1.** Agisce più istintivamente che razionalmente. – **2.** Queste discussioni sono tanto penose quanto inutili. – **3.** Secondo lui, il teatro è più istruttivo del cinema. – **4.** I tuoi consigli sono tanto utili quanto onesti. – **5.** Suo padre è più severo di sua madre. – **6.** Pensa più alla macchina che alla famiglia. – **7.** La tua macchina è così/tanto rapida come/quanto la mia. – **8.** La stanza era più lunga che larga. – **9.** Vivere in campagna è più riposante che vivere in città. – **10.** Qui, la camera è più piccola della cucina. – **11.** Questi prodotti sono migliori degli altri. – **12.** Gioca a tennis meglio del suo amico. – **13.** Il Concorde vola più veloce degli altri aerei. – **14.** Il mese di febbraio non è (così) lungo come il mese di gennaio. – **15.** Ha tanto coraggio quanta buona volontà.

❸ **1.** Quanto più fa freddo, tanto meno esce. (Più fa freddo e meno esce.) – **2.** Quanto più sono vecchi, tanto più sono egoisti. – **3.** Quanto più è bello, tanto più è vanitoso. – **4.** Più guarda la televisione e più la vuole guardare. – **5.** Quanto più ha avuto difficoltà tanto più merita di essere ricompensato. – **6.** Quanto più è sorridente, tanto più appare simpatica. – **7.** Quanto meno mangerai, tanto meno ingrasserai. (Meno mangerai e meno ingrasserai.) – **8.** Quanto più sua madre cucina bene, tanto più ha voglia di mangiare.

6 Les superlatifs

❶ **1.** la cima meno alta... – **2.** i musei più importanti. – **3.** il più interessante che si possa leggere. – **4.** la regione più sismica... – **5.** la più bella poesia che egli sappia. – **6.** meno rapidamente. – **7.** i più bei modelli... – **8.** i serpenti più velenosi. – **9.** il più recente che io abbia in vendita. – **10.** è la migliore della città.

❷ **1.** una donna stranissima – **2.** uno spettacolo interessantissimo – **3.** ero stanchissima – **4.** la piazzetta celeberrima – **5.** un film bellissimo – **6.** un problema amplissimo – **7.** è fortunatissima – **8.** un giudice integerrimo – **9.** Piero si sente benissimo – **10.** una situazione infelicissima – **11.** un viadotto altissimo – **12.** un uomo piissimo – **13.** una donna ricchissima

❸ **1.** Ho bevuto il miglior caffè della città. – **2.** Hanno ammirato il più bel tramonto delle vacanze. – **3.** Conoscono il ristorante più caro della regione. – **4.** Ecco la ragazza più chiacchierona della classe. – **5.** È il giocatore più bravo della squadra. – **6.** Suo fratello è il più nervoso della famiglia. – **7.** Questa stanza è la più rumorosa dell'appartamento. – **8.** Questa macchina è la più cara della serie. – **9.** È il prezzo più basso della stagione.

❹ **1.** È stanca ma è lei che lavora di più. – **2.** Questo quadro è quello che mi piace di meno. – **3.** Questo è il miglior vino della mia cantina. – **4.** Lo salutò con il massimo rispetto. – **5.** Faremo il massimo per darvi soddisfazione. – **6.** Voglio meno panna sulle fragole. – **7.** Ha avuto un bruttissimo voto. – **8.** Al minimo errore, il professore si arrabbia. – **9.** È il mio migliore amico.

7 Les suffixes

❶ **1.** oretta – cameretta/camerina – donnina – casetta/casina – librino/libretto – manina – dottorino – finestrina.

2. lucina – pensierino – tavolino – teatrino – piantina – venticello – scarpetta/scar pina – coltellino.

3. vasetto – animaletto – bruttino – alberello/alberino – vestitino – trenino – prestino – collanina.

4. bellino – magrino – piccolino – anellino – nervosetto/nervosino – leggerino – sforzino – foglietto.

❷ **1.** una matitona – un librone/un libraccio – un pancione – uno stanzone/una stanzaccia – un macchinone.

2. un tavolone/una tavoloccia – un febbrone/una febbraccia – un piattone – un pensierone – una vitaccia.

3. uno scatolone – un momentaccio – una fettona – una serataccia – un tempaccio.

4. un donnone/una donnaccia – un finestrone – un borsone/una borsaccia – un bottiglione – un paginone.

❸ **1.** un oliveto – **2.** una faggeta – **3.** una querceta – **4.** un aranceto – **5.** un castagneto – **6.** un frassineto – **7.** un pioppeto.

❹ **1.** una martellata – **2.** una pugnalata – **3.** una bastonata – **4.** delle pedate e delle unghiate – **5.** una manata.

8 Les possessifs

❶ **1.** il loro paese – **2.** i propri interessi – **3.** le mie ragioni... le tue – **4.** le loro pretese – **5.** i propri errori – **6.** notizie sue – **7.** le tue esitazioni – **8.** i suoi figli – **9.** le proprie idee

❷ **1.** Due tuoi amici sono venuti ieri sera. – **2.** I tuoi colleghi sono simpatici. – **3.** Il Louvre è un grande museo : ogni sua sala merita una visita. – **4.** – Di chi è questa macchina ? – È mia. – **5.** Capisco i tuoi problemi, puoi capire i miei. – **6.** Non prendere il denaro altrui ! – **7.** La loro casa è in vendita. – **8.** Questa camera sarà la tua durante le vacanze. – **9.** I vostri progetti sono più ambiziosi dei nostri. – **10.** I miei genitori si ricorderanno di te. – **11.** Non si è mai contenti della propria sorte. – **12.** È contento : la sua squadra ha vinto. – **13.** Non hai mai le mie stesse idee. – **14.** Non ha bisogno dei tuoi consigli. – **15.** Che ognuno prenda le proprie disposizioni. – **16.** Dobbiamo cercare di capire le idee altrui.

❸ **1.** Il mio fratello maggiore – **2.** Suo padre – **3.** La loro sorella – **4.** bambina mia – **5.** La mia nonna paterna – **6.** I suoi fratelli – **7.** Mia figlia – **8.** a modo mio – **9.** Mia nipote – **10.** La sua bisnonna – **11.** suo marito durante i suoi viaggi – **12.** I suoi zii – **13.** merito vostro – **14.** affari tuoi – **15.** a tuo agio ! – **16.** Sua suocera... la sua mamma – **17.** mio padre – **18.** la mia preoccupazione – **19.** le mie proprie forze.

❹ – Accompagno il nonno di Paola all'aeroporto.
– Accompagno il mio amico all'aeroporto.
– Accompagno l'amico di Paola all'aeroporto.
– Accompagno il fratello di Paola all'aeroporto.
– Accompagno mio fratello all'aeroporto.
– Accompagno mio zio all'aeroporto.
– Accompagno lo zio di Paola all'aeroporto.

9 Les démonstratifs

❶ **1.** quelle cassette – quei dischi – questi tavoli – questi uomini – quelle serie

2. questi zucchini – quei gelati – queste idee – codesti telefoni – queste isole

3. quegli specchi – quei problemi – quegli anni – codeste donne – quegli stranieri

❷ **1.** quell'albergo – **2.** Quest'estate ... / ... questo viaggio – **3.** quel momento – **4.** questo libro – **5.** Questo nostro mondo – **6.** questi (quei) sistemi – **7.** Quegli alberi – **8.** queste tue pretese – **9.** quei tempi – **10.** questa nebbia – **11.** stasera – **12.** questo mese – **13.** queste condizioni – **14.** Stamattina – **15.** In quegli anni.

❸ **1.** Ecco i miei dischi, quali sono quelli che vuoi ascoltare ? – **2.** Un giorno, andremo a visitare quei paesi. – **3.** Queste telefonate sono preoccupanti. – **4.** Ho condito l'insalata con quest'olio. – **5.** Non mettere tutto questo/quello zucchero nel caffè. – **6.** – Quale asciugamano prendo ? – Quello piegato. – **7.** Queste case non assomigliano a quelle del mio paese. – **8.** Non va oggi. – **9.** Dimmi quello che vuoi ! – **10.** – Chi è ? – Sono io – **11.** Stanotte è piovuto molto. – **12.** Sono i genitori di Sara. – **13.** Le nostre macchine sono dello stesso colore.

❹ **1.** Quelli che non sanno quello che vogliono... – **2.** tutto quello (quel, ciò) – **3.** quello dell'architetto – **4.** quella a righe – **5.** quelli che (coloro che) – **6.** Con ciò – **7.** quelle – **8.** Quelli (coloro) – **9.** questa... quell'altra – **10.** questo – **11.** quelli – **12.** quelle – **13.** quello – **14.** ciò.

10 Les pronoms personnels

❶ **1.** lui – **2.** lei – **3.** lui – **4.** io – **5.** Noi – **6.** lui – **7.** Loro – **8.** tu – **9.** te – **10.** loro – **11.** lui – **12.** essi/e loro – **13.** tu – **14.** loro.

❷ **1.** Li vedo domani. – **2.** Ne abbiamo parlato. – **3.** Scrive loro tante lettere. – **4.** L'hai visto ? – **5.** Ne parlerò alla conferenza di domani. – **6.** Le ha parlato ? – **7.** Lo aspetta da un quarto d'ora. – **8.** L'hai vista ? – **9.** Li preparerai. – **10.** Lo darà a ottobre. – **11.** Lo racconta ai bambini. – **12.** Marco non le regala mai niente. – **13.** Alessio ci va. – **14.** Ci hai pensato ? – **15.** L'ho già detto loro !

❸ **1.** È partito con lei. – **2.** Firmerete per lui. – **3.** Ha parlato male di te. – **4.** Cercava di convincermi perché senza di me..., era difficile. – **5.** Ogni sera esce con loro. – **6.** Era seduto accanto a me. – **7.** Guardava davanti a sé. – **8.** Andremo al cinema con voi. – **9.** Non vuole uscire con loro. – **10.** Ha fatto molto per me. – **11.** Conto su di te. – **12.** Devi venire con noi senza discutere. – **13.** A me l'ha detto. – **14.** Vuole sempre tutto per sé. – **15.** Si è rivolto a lei. – **16.** Secondo me, bisogna ricominciare. – **17.** Queste due amiche pensano solo a sé. – **18.** Bisogna pensare a sé qualche volta.

❹ **1.** Prendilo ! No, non prenderlo ! No, non lo prendere ! – **2.** Fallo ! No, non farlo ! No, non lo fare ! – **3.** Vacci ! No, non andarci ! No, non ci andare ! – **4.** Dillo ! No, non dirlo ! No, non lo dire ! – **5.** Compralo ! No, non comprarlo ! No, non lo comprare ! – **6.** Pensaci ! No, non pensarci ! No, non ci pensare ! – **7.** Allontanati ! No, non allontanarti ! No, non ti allontanare ! – **8.** Lavati ! No, non lavarti ! No, non ti lavare ! – **9.** Buttati ! No, non buttarti ! No, non ti buttare ! – **10.** Proteggiti ! No, non proteggerti ! No, non ti proteggere !

❺ **1.** Me ne occuperò. – **2.** Glielo porterò. – **3.** Gliela facciamo ingrandire. – **4.** Gliene parlerò. – **5.** Te li ho presi. – **6.** Me ne sono pentito. – **7.** Ve li ho/abbiamo già spediti. – **8.** Te lo lascio. – **9.** Maria me ne fa. – **10.** Te l'ho già detta. – **11.** Ve li ho comprati. – **12.** Me ne mandano molte. – **13.** Gliene ho dato.

❻ **1.** Ti è venuto vicino. – **2.** Le è morto il cane. – **3.** Mi ha ritirato gli occhiali dall'ottico. – **4.** Ti ha preso la macchina. – **5.** Le è andato male l'esame. – **6.** Il cane mi veniva dietro. – **7.** Ti ha riparato la radio. – **8.** Ti ha preparato i vestiti. – **9.** Vi ha prenotato i posti per il 20 ottobre.

❼ **1.** Venga stasera alle otto ! **2.** Può prenotare il suo posto fin da ora. – **3.** Le chiedo di farlo il più presto possibile. **4.** La consiglierò, ma prima esaminerò tutti i suoi documenti. **5.** Prenda l'ascensore e salga all'ottavo piano ! **6.** Come vogliono partire, Signori ? Vogliono prendere l'aereo o il treno ? **7.** Non faccia discorsi senza capo né coda ! **8.** Le consiglio il vino bianco. **9.** Venga con me ! **10.** Andrò a prenderla alla stazione con i suoi amici. **11.** Leggo questo libro, poi glielo presto. **12.** Mi rallegro dei suoi successi. **13.** Mi dica la verità. **14.** Le posso assicurare che sono molto attaccato alla sua famiglia.

❽ **1.** Signora, entri e si sieda ! – **2.** Prenda i (suoi) documenti e non dimentichi la borsa ! – **3.** Aspetti l'autobus n° 3, compri un biglietto dal tabaccaio e lo convalidi sull'autobus. – **4.** Signore, è pregato di lasciare il suo ombrello (l'ombrello) al guardaroba. – **5.** Faccia il necessario e venga a trovarmi stasera. – **6.** La chiamerò domani. – **7.** Signor Casati, è contento del suo soggiorno ? Le auguriamo di tornare. – **8.** Ha preso la sua roba estiva ? – **9.** Torni domani ! Ci saranno posti per lei, glielo prometto. – **10.** La conosco bene ; so che lo può fare (che può farlo).

❾ tagliatele – salatele – mettetele – lavatele – asciugatele – Fatele – lasciarle – mescolandoli – scolandoli – mettetela – la potete.

11 Les relatifs

❶ **1.** che – **2.** che – **3.** di cui – **4.** le cui finestre – **5.** che – **6.** il che – **7.** che – **8.** il cui rumore – **9.** con cui (con il quale) – **10.** tra cui (tra i quali) – **11.** in cui – **12.** chi – **13.** chi – **14.** la cui ipocrisia – **15.** in cui (nel quale) – **16.** per cui (per le quali) – **17.** chi – **18.** il cui profumo – **19.** a cui (alle quali) – **20.** in cui (nel quale)/dove – **21.** di cui (della quale) – **22.** per cui (per le quali) – **23.** che – **24.** chi – **25.** di cui (del quale) – **26.** di cui.

❷ **1.** È un film di cui suo fratello mi ha già parlato. – **2.** Stona, il che la fa sempre arrabbiare. – **3.** Sua madre, la cui pensione non è molto forte, spende troppo denaro. – **4.** È una canzone di cui si parlerà ancora fra dieci anni. – **5.** È un quadro di cui avrei voglia. – **6.** Ci siamo rivolti a un'agenzia per le informazioni di cui avevamo bisogno. – **7.** Leonardo da Vinci, le cui opere sono molto famose, è morto a Amboise. – **8.** Il mio amico, per la cui salute la famiglia ha consultato molti medici, è stato operato ieri. – **9.** La noia è una malattia il cui unico rimedio è il lavoro. – **10.** La squadra, di cui conosci tutti i membri, è stata qualificata. – **11.** Questa trasmissione, il cui presentatore è antipatico, non offre nessun interesse. – **12.** Mi piacciono molto i programmi sportivi alla cui trasmissione assisto sempre. – **13.** È l'ideale a cui (al quale) tende questo partito ! – **14.** È un reparto i cui impiegati sono molto gentili. – **15.** Ecco la fabbrica i cui rifiuti inquinano il fiume. – **16.** Il progetto, per la cui riuscita molte persone si sono adoperate, è molto importante.

❸ **1.** G – **2.** I – **3.** A – **4.** H – **5.** B – **6.** J – **7.** D – **8.** E – **9.** F – **10.** C.

12 Les interrogatifs

❶ **1.** Chi – **2.** Quanti – **3.** Che cosa – **4.** Quante – **5.** che – **6.** Qual – **7.** Quale – **8.** chi – **9.** quanti – **10.** che cosa – **11.** Quali – **12.** chi – **13.** quale – **14.** quale – **15.** Quanti – **16.** Qual – **17.** Che – **18.** che cosa.

❷ **1.** Mi domando perché non sia arrivato. – **2.** Non sapevo in quale giorno saresti partito. – **3.** Non sanno quello che vogliono. – **4.** Mi domando chi glielo abbia detto. – **5.** Non so più dove sia la verità. – **6.** Dimmi qual è la ragione di tutto questo. – **7.** In che cosa posso esservi utile ? – **8.** A che ora vai al cinema ?

13 Les exclamatifs

1. Che noia andare da loro ! – **2.** Quanto ci siamo divertiti a casa tua ! – **3.** Quante persone al cinema ! – **4.** Che ragazzo timido ! – **5.** Che caldo terribile ! – **6.** Quanto abbiamo mangiato ! – **7.** Quanti chilometri hai fatto ! – **8.** Come (quanto) sono contenta di vederti ! – **9.** Che macchina veloce ! – **10.** Che professore esigente ! – **11.** Che sorpresa vederti !

15 Les nombres

❶ **1.** Il millenovecentoottantasette. – **2.** duecentosessantottomila trecentoventitré. – **3.** ottantasettemila settecentosettantotto. – **4.** 1265 : milleduecentosessantacinque. 1321 : milletrecentoventuno. – **5.** duecentoventimila. – **6.** novecentoquarantaseimila novecentonovantanove euro. – **7.** ventun dollari.

❷ **1.** una tredicesima e una quattordicesima. – **2.** nel diciannovesimo secolo. – **3.** i due terzi. – **4.** la millesima parte. – **5.** un cappotto sette ottavi. – **6.** quarantatreesimo. – **7.** Giovanni Ventitreesimo.

❸ **1.** È mezzogiorno e un quarto (è mezzanotte e un quarto). – **2.** Sono le sei. – **3.** Sono le due. – **4.** Sono le tre e mezzo. – **5.** Sono le cinque meno un quarto (manca un quarto alle cinque). – **6.** Sono le sette e dieci. – **7.** Sono le nove e venticinque. – **8.** Sono le dieci meno venticinque (mancano venticinque alle dieci).

❹ **1.** È vietato parcheggiare su entrambi i lati. – **2.** È arrivata dodicesima. – **3.** Il romanzo è stato il grande genere letterario dell'Ottocento. – **4.** Vorrei due litri e mezzo di latte. – **5.** Arrivo fra mezz'ora. – **6.** Va dal dentista ogni due mesi. – **7.** Rimarrò a Venezia due giorni. – **8.** È un uomo sui trent'anni. – **9.** Suo padre è nato nel 1938 (millenovecentotrentotto). – **10.** Doveva venire a mezzogiorno o all'una (o al tocco). – **11.** Ho avuto uno sconto del quindici per cento – **12.** Ha fatto molto caldo in questi ultimi due giorni. – **13.** In quanti eravate ieri sera? – Eravamo in dieci. – **14.** I primi tre sono arrivati alle 14 (quattordici), gli ultimi tre alle 15 (quindici). – **15.** L'atto II – secondo era molto noioso, vero? – **16.** Secondo me, era l'atto III –terzo. – **17.** Quanti anni hai? . Ho diciotto anni. – **18.** Datemi (Mi dia) un litro e mezzo di succo di frutta e una mezza bottiglia di vino. – **19.** Siamo nel XXI – ventunesimo secolo. – **20.** Nel Novecento (ventesimo secolo) ci sono state molte scoperte. – **21.** Cambia macchina ogni tre anni. – **22.** Ci sarebbero centinaia di senzatetto. – **23.** Il Quattrocento (quindicesimo secolo) è il secolo dei grandi artisti. – **24.** I sessantenni sono sempre più numerosi.

❺ **1.** duemiladue. – **2.** diciannovemila novecentosettantaquattro. – **3.** venti / sessantotto. – **4.** tremiladuecentoventicinque. – **5.** venticinque per cento. – **6.** novantatré/ cinquantasei. – **7.** quarantaseimila trecentoquarantadue. – **8.** novecentosettantasei.

16 Les indéfinis

❶ **1.** Qualche – **2.** qualcuno – **3.** alcuni – **4.** qualche – **5.** qualcuno... – No, nessuno – **6.** qualche – **7.** qualche – **8.** niente (nulla) – **9.** tutto – **10.** qualche (ogni) – **11.** tutti – **12.** ognuno (ciascuno).

❷ **1.** Era una serata qualunque. – **2.** Qualunque cosa (qualsiasi cosa) tu faccia, non sarà d'accordo. – **3.** Puoi venire a trovarmi in qualsiasi momento. – **4.** Non ho alcuna voglia di andarci. – **5.** Ha parecchie giacche ma mette (indossa) sempre la stessa. – **6.** L'avrebbe detto a chiunque. – **7.** Alcuni hanno pagato la quota, altri no. – **8.** Sono tutte ansiose di conoscere il risultato. – **9.** Le altre due macchine non hanno partecipato alla gara. – **10.** Alcuni colleghi sono simpatici, altri no.

❸ – Sono venuti certi miei amici.
– Sono venuti alcuni miei amici.
– Sono venuti tutti gli amici di Paolo.
– Sono venuti tutti i miei amici.
– È venuto qualche mio amico.

❹ **1.** b – **2.** b – **3.** d – **4.** c – **5.** a – **6.** b – **7.** c – **8.** b et d – **9.** d – **10.** b – **11.** a – **12.** d.

❺ **1.** Ieri siamo andati a mangiare una pizza. – **2.** Mi hanno detto che non c'è più posto sul traghetto. – **3.** Si può fare di più quando si vuole. – **4.** Ora non si possono più vedere le montagne. – **5.** Avremo i risultati domani. – **6.** Quando si è giovani, non si pensa molto alla propria famiglia. – **7.** Non lo si è potuto vedere, era troppo tardi. – **8.** Si sono venduti bene questi romanzi durante le vacanze. – **9.** Si mangiano molti gelati in Italia. – **10.** Non gli si può chiedere di più. – **11.** Hanno tagliato gli alberi che ostacolavano il traffico. – **12.** Abbiamo incontrato i vostri figli a teatro. – **13.** In quest'appartamento, si sentono tutti i rumori della strada. – **14.** Abbiamo ascoltato con piacere le canzoni dello spettacolo di Lucio Dalla. – **15.** Ci si ritrovava, si suonava il pianoforte, ci si divertiva. – **16.** Ci si è molto divertiti. (Ci siamo molto divertiti.)

17 Les adverbes

▸ 1. Adverbes de manière

❶ **1.** correttamente – **2.** disordinatamente – **3.** chiaramente – **4.** improvvisamente – **5.** particolarmente – **6.** gentilmente e garbatamente – **7.** lentamente – **8.** coraggiosamente e dignitosamente – **9.** ironicamente ma umoristicamente – **10.** nervosamente – **11.** lealmente – **12.** silenziosamente – **13.** attentamente – **14.** regolarmente – **15.** innocentemente – **16.** prudentemente – **17.** ragionevolmente – **18.** comodamente – **19.** inaspettatamente – **20.** rigorosamente.

❷ **1.** certamente – **2.** recentemente – **3.** solitamente – **4.** seriamente – **5.** precisamente – **6.** raramente – **7.** improvvisamente – **8.** nuovamente.

▸ 2. Adverbes de temps

1. presto – **2.** spesso – **3.** subito – **4.** mai – **5.** a lungo – **6.** domani l'altro – **7.** tardi – **8.** ogni tanto – **9.** intanto – **10.** né sempre né mai – **11.** sempre (spesso) – **12.** ora (adesso).

▸ 3. Adverbes de lieu

1. fuori – **2.** dappertutto – **3.** qui – **4.** laggiù – **5.** indietro – **6.** ci – **7.** lassù – **8.** dove – **9.** via – **10.** fuori – **11.** lontano... in Cina o altrove.

▸ 4. Adverbes de quantité

1. Questo film è abbastanza bello. – **2.** Siamo arrivati, meno male ! abbiamo camminato molto. – **3.** Sei parecchio in ritardo (Hai parecchio ritardo) stasera, mentre io ero un po' in anticipo. – **4.** Esce sempre di più con i suoi amici. – **5.** Fate due cento metri circa e siete arrivati alla stazione. – **6.** È appena guarita ma ha ricominciato a lavorare. – **7.** Ti è piaciuto questo libro ? – Ah no, per niente (niente affatto) ! – **8.** Non ho per niente fame. – **9.** Il direttore è alquanto nervoso stamattina. – **10.** Delle patate ? devi comprarne di più. – **11.** Bisognerà lavorare di più per finire tutto. – **12.** Da quando suo marito l'ha lasciata, ha meno denaro. – **13.** È sempre meno motivato per participare alle gare. – **14.** Questa traduzione è troppo difficile, non ho affatto voglia di farla.

▸ 5. Adverbes d'affirmation, de négation et de doute

❶ **1.** È forse troppo tardi per fare la domanda. – **2.** Magari puoi avvertirlo. – **3.** – Lo inviti stasera ? – Ah no, neanche per sogno ! – **4.** Non è nemmeno venuto a trovarmi. – **5.** Sarà sicuramente in ritardo. – **6.** – È nuova la sua macchina ? – Ah sì, senza dubbio. – **7.** Durante le riunioni non dice niente, non fa altro che fumare. – **8.** Hanno solo (soltanto) un bambino. – **9.** Nemmeno lui può partire. (Non può partire nemmeno lui.) – **10.** – Ho preso dieci posti. – Soltanto ? (Soli ?) Ma siamo in dodici. – **11.** Questo pomeriggio, abbiamo lavorato bene. – **12.** Ha fatto male, non avrebbe dovuto accettare. – **13.** Ho mangiato troppo : non voglio più niente. – **14.** Sono soltanto le sei, non è tardi. – **15.** Non vuole né cani, né gatti a casa sua.

❷ **1.** Non lo sa neanche lui. – **2.** Non verrò nemmeno io. – **3.** Non poteva succedere niente. – **4.** Non potrò mai dimenticarlo. – **5.** Non lo fermerà nessuno. – **6.** Non abbiamo visitato questo museo né lui, né io. – **7.** Non accetterà questi ricatti neanche l'Italia. – **8.** Non potrà farlo nessuno. – **9.** Non aveva fame neppure lui. – **10.** Non cambierà nulla con lui.

18 Les prépositions

▸ 8. Autres prépositions

❶ **1.** alla – **2.** a pianterreno – **3.** dal – **4.** in – **5.** con la coda a punto – **6.** da capo a piedi – **7.** dal – **8.** da – **9.** di – **10.** a – **11.** di – **12.** in – **13.** fra – **14.** a favore – **15.** dagli – **16.** a – **17.** con – **18.** per – **19.** dai – **20.** in – **21.** dai – **22.** da – **23.** alle quattro – **24.** di – **25.** di – **26.** all'anno – **27.** Da giovani... in montagna – **28.** d'oro – **29.** da – **30.** dalla voglia – **31.** da – **32.** in – **33.** per – **34.** da – **35.** per – **36.** a – **37.** fra – **38.** allo – **39.** con – **40.** per.

❷ **1.** in – **2.** a – **3.** sull'altro – **4.** a – **5.** di – **6.** dai – **7.** da – **8.** da – **9.** a – **10.** con – **11.** in – **12.** con il. **13.** in (per) – **14.** in – **15.** nel – **16.** da – **17.** a – **18.** con – **19.** da – **20.** al – **21.** nel – **22.** da – **23.** allo – **24.** da – **25.** di – **26.** dagli occhi... dal cuore – **27.** sull'autobus – **28.** da – **29.** D'estate, in... in – **30.** da (di) – **31.** con – **32.** in – **33.** in... a – **34.** da – **35.** in... tra – **36.** dagli – **37.** di noce con... di vetro – **38.** per – **39.** da – **40.** con – **41.** da – **42.** da – **43.** con – **44.** dall'aria – **45.** con – **46.** sulle.

▸ 9. L'expression du temps

❶ **1.** Non lo vedo più da tre giorni. – **2.** È partito quattro mesi fa. – **3.** Fin dal suo arrivo, ha cominciato a criticare tutto. – **4.** Bisogna finire questo lavoro prima del 30 (entro il 30). – **5.** È partito per cinque giorni. – **6.** Siamo rimasti senza notizie per due mesi. – **7.** Sono due ore che non smetto di dirtelo. – **8.** È deciso, non fumo più da stasera. – **9.** Si sono sposati dieci anni fa. – **10.** Non ha piovuto per tutta l'estate. – **11.** Fra tre mesi avrai sedici anni. – **12.** L'ufficio è aperto dalle nove alle quattordici. – **13.** Ha venduto la sua moto un mese fa. – **14.** Da quel momento, non è più lo stesso. – **15.** Sono tre anni che non si vedono più. (Non si vedono più da tre anni.)

❷ **1.** c. – **2.** c. – **3.** a. – **4.** b. – **5.** a. – **6.** b. – **7.** c. – **8.** b. – **9.** b. – **10.** c. – **11.** a.

19 Les conjonctions

❶ **1.** È uno sport pericoloso ed estremo. – **2.** Né lui, né io verremo. – **3.** Non posso né voglio aiutarlo. – **4.** Rimani a casa oppure esci ? – **5.** Non beve né vino né birra. – **6.** Ho capito bene o mi sbaglio ? – **7.** Non ha né capo né coda. – **8.** Né oggi né domani potrò venire – **9.** Vuoi stare all'ombra o al sole. – **10.** La pioggia o il sole.

❷ **1.** G – **2.** O – **3.** H – **4.** A – **5.** M – **6.** L – **7.** N – **8.** D – **9.** B – **10.** C – **11.** F – **12.** I – **13.** K – **14.** J – **15.** E.

❸ **1.** Ho dato loro tutte le informazioni affinché ci vadano subito. – **2.** Puoi passare da noi mentre visiterai la Toscana. – **3.** Siccome mi ha invitato, andrò da lui. – **4.** Ho saputo che partiva prima che lo dicesse ai suoi amici. – **5.** Non capisco perché tu sia così nervoso. – **6.** Vi fa credere che ha cinquant'anni mentre ne ha sessanta. – **7.** Si preoccupa che non abbiate risposto alla sua lettera. – **8.** Ripeti la lezione finché non l'avrai imparata. – **9.** Finché c'è vita, c'è speranza. – **10.** Mentre gli altri hanno freddo, andate a prendere il sole in Marocco. – **11.** Non partire finché non è tornato. – **12.** Ma se è troppo tardi per fare la domanda ! – **13.** Questa valigia è troppo pesante perché tu passa portarla. – **14.** Capisco che tu sia preoccupata. – **15.** Vado a dirglielo, a meno che sia già partito. – **16.** Siccome non ha amici e vive da sola, si annoia. – **17.** I Rossi non rispondono al telefono, che siano partiti ? – **18.** Se farà bel tempo e avrai tempo, potremo uscire. – **19.** Era calmo, che non lo sapesse ancora ? – **20.** Aspetto finché non avrete finito.

23 Les verbes irréguliers

❶ **1.** La porta improvvisamente si apre mentre la sua mano ancora esita sul pulsante del campanello. La donna dice : – Entri, l'aspetto –. Lui pensa che c'è un equivoco, tenta di calcolarne le conseguenze. Resta sulla soglia smarrito, un po' stravolto. Sicuramente, pensa, lei sta aspettando qualcuno : qualcuno che non conosce o che conosce appena o che non vede da tanti anni. Entra, fa tre passi sul pavimento di ceramica.

2. La ragazza si stacca dall'ombra del portale e camminando al centro del vicolo, sorridendo, si dirige verso il professore, che avanza rasente il muro. A pochi metri lei si ferma, ma il professore prosegue, guardando avanti e facendole solo un cenno con la testa. Senza volgere il viso, le dice : « Ti ho raccomandato (Ti raccomando) di non aspettarmi all'Università. »

3. Mia madre riconosce sua sorella quando è a dieci passi da noi, salta la catena e corre ad abbracciarla. Mia zia è grassa, ha un vestito a fiori grandi, gli occhiali d'oro ; il marito è alto, la faccia giovanile sotto i capelli bianchi [...] Mia madre piange di gioia, e non si dà pace per il fatto di non averla riconosciuta tra le persone affacciate sul piroscafo, mia cugina guarda meravigliata di quelle lacrime.

4. Mi afferro alla portiera e me la piglio con mio fratello : « Sei matto andartene così ? » È solo in macchina. « Non posso mica aspettare fino a domani » risponde ragionevole come sempre. E come sempre mi sento tranquillo e protetto dal suo modo sicuro di procedere al volante.

5. È ormai il crepuscolo. Il direttissimo da Roma, che passa senza fermarsi, ha i finestrini illuminati. Si accendono i lampioni : brillano incerti, spandendo un pallido riflesso sulle lastre del marciapiede.

❷ *Imparfait* : **1.** A volte ci illudevamo di utilizzare a nostro agio le innumerevoli stanze ; le occupavamo a turno, spostavamo i letti e gli armadi, sparpagliavamo da un punto all'altro le poche anticaglie. Ma una volta realizzato questo piano di occupazione totale, ci sentivamo all'improvviso affaticati e dispersi ; le pareti ci sembravano più nude, la comunicazione tra noi dispendiosa ; allora rifacevamo alla svelta il cammino inverso.

Futur : **1.** A volte ci illuderemo di utilizzare a nostro agio le innumerevoli stanze ; le occuperemo a turno, sposteremo i letti e gli armadi, sparpaglieremo da un punto all'altro le poche anticaglie. Ma una volta realizzato questo piano di occupazione totale, ci sentiremo all'improvviso affaticati e dispersi ; le pareti ci sembreranno più nude, la comunicazione tra noi dispendiosa ; allora rifaremo alla svelta il cammino inverso.

Imparfait : **2.** Le lezioni con Marianne cominciavano. Ci vedevamo di pomeriggio, quando le riusciva. [...] Di sera, non poteva mai. Scoprivamo dintorni ; ma, più spesso, andavamo alle diurne del Teatro dell'Opera e ai concerti.
La musica, come i passi notturni di due compagni, non aveva bisogno di parole. Bastava a se stessa anche nell'illuminare la curiosità e nel renderla comune. Dopo si cominciava a ragionare.

Futur : **2.** Le lezioni con Marianne cominceranno. Ci vedremo di pomeriggio, quando le riuscirà. [...] Di sera, non potrà mai. Scopriremo dintorni ; ma, più spesso, andremo alle diurne del Teatro dell'Opera e ai concerti.

La musica, come i passi notturni di due compagni, non avrà bisogno di parole. Basterà a se stessa anche nell'illuminare la curiosità e nel renderla comune. Dopo si comincerà a ragionare.

❸ Michele tornerà dall'ufficio e si metterà a leggere il giornale, ascolterà la radio seduto in poltrona, e potrà pensare, riflettere, se vorrà. Io, invece tornerò a casa dall'ufficio e dovrò andare subito in cucina. Qualche volta egli, nel vedermi passare affaccendata, mi domanderà : « È pronto ? Vuoi che ti aiuti ? » Io subito declinerò la sua offerta, ringraziandolo.

❹ **1.** Non fu facile adattarci alle strane leggi della casa disabitata. Le stanze furono troppo ampie per i nostri bisogni, le suppellettili rare. Arnesi dall'uso incerto interruppero, di tanto in tanto, la sequenza dei vuoti... Furono, probabilmente, residui di un'intimità familiare che fu difficile, per noi, rinviare a un'epoca esatta ; non servirono ad altro che a scandire le superfici... Mio fratello ed io, godemmo però della loro vista ; li toccammo e segnammo a dito nei corridoi.

2. Mara tornò a casa volentieri. La madre, cosa insolita, fu piena di premure con lei. Lei andò in camera sua e poi, senza un motivo preciso salì in camera dei genitori ; dopo essere stata in casa di Bube [...] casa sua le apparve spaziosa e piena di comodità. Poi la madre la chiamò a bere il brodo ; e poi venne di corsa Vinicio.

❺ **1.** Non ho telefonato a nessuno e nessuno ha saputo che ero scesa a quell'albergo. Nemmeno un mazzo di fiori mi ha atteso. La cameriera che mi ha preparato il bagno mi ha parlato, china sulla vasca, mentre io ho girato nella stanza.

2. L'inverno se n'è andato e si è lasciato dietro i dolori reumatici. Un leggero sole meridiano è venuto a rallegrare le giornate, e Marcovaldo ha passato qualche ora a guardar spuntare le foglie, seduto su una panchina, aspettando di tornare a lavorare. Vicino a lui è venuto a sedersi un vecchietto.

3. Così, verso mezzogiorno, sono salito sulla mia vecchia e sgangherata automobile e mi sono avviato attraverso la città con il solito sentimento di disagio [...] ho imboccato alla fine la via Appia.

❻ **1.** Bisogna che tu ascolti → Bisognava che tu ascoltassi. – **2.** Bisogna che tu finisca → Bisognava che tu finissi. – **3.** Bisogna che lei salga → Bisognava che lei salisse. – **4.** Bisogna che lo facciate → Bisognava che lo faceste. – **5.** Bisogna che tu rimanga → Bisognava che tu rimanessi. – **6.** Bisogna che tu lo dica → Bisognava che tu lo dicessi. – **7.** Bisogna che ti alzi → Bisognava che ti alzassi. – **8.** Bisogna che tu legga → Bisognava che tu leggessi. – **9.** Bisogna che tu provi → Bisognava che tu provassi. – **10.** Bisogna che mangiate → Bisognava che mangiaste.

❼ **1.** nacque. – **2.** perse. – **3.** Spesi. – **4.** uccise. – **5.** ruppe. – **6.** lesse. – **7.** Decisero. – **8.** chiudemmo. – **9.** esplose. – **10.** chiuse. – **11.** Accesero. – **12.** Rise. – **13.** difese – **14.** Conobbi – **15.** Si accorse – **16.** morse.

❽ **1.** Ho chiuso. – **2.** Hanno discusso. – **3.** Ha vinto. – **4.** Hanno raggiunto. – **5.** Ha letto. – **6.** Abbiamo diviso. – **7.** L'ho conosciuto. – **8.** Mi ha chiesto. – **9.** Si è accorto/a. – **10.** Ho perso. – **11.** Ha nascosto. – **12.** Avete rotto.

24 Emplois des auxiliaires

❶ **1.** – Hai preso i libri ? – Sì, li ho presi. – **2.** Ci siamo già incontrati ieri. – **3.** I libri che ha (avete) ordinato non sono arrivati. – **4.** – Chi è ? – Sono io. – **5.** Non posso, ho da finire questa traduzione. – **6.** Era un albergo favoloso ! – **7.** Sarà interessante farglielo notare. – **8.** È stato lui a dirlo. – **9.** Ci sarà molta gente a questo ricevimento. – **10.** C'erano molte persone sedute per terra. – **11.** Che cosa c'è ancora ? – **12.** Non è contento ma tocca a lui farlo. – **13.** – Di chi è la macchina rossa ? – È sua. – **14.** C'era una volta una bambina che si chiamava Alice. – **15.** Ci ha visti insieme al cinema. – **16.** Quante persone hai invitato ? – **17.** L'ha fatto Elsa ma l'avete voluto voi. – **18.** Sarò io a presentare il conferenziere. – **19.** Sono sicuro che ci saranno molte difficoltà. – **20.** È del tutto inutile.

❷ **1.** L'operaio ha cominciato il suo lavoro alle sette. **2.** Sono aumentate le vendite di DVD. – **3.** Hai cambiato la macchina ? – **4.** Questo viaggio mi è costato gli occhi della testa. – **5.** Mi è piaciuto molto questo film. – **6.** Questa storia è finita male. – **7.** Mi è dispiaciuto non potervi aiutare. – **8.** È vissuto in questo appartamento. – **9.** È arrivato stamattina, almeno così mi è sembrato. – **10.** Questa sessione è cominciata male. – **11.** Sono riuscito a sopportare questa situazione. – **12.** Gli artisti hanno finito le prove a mezzanotte. – **13.** È invecchiata male questa donna ! – **14.** Ha vissuto momenti intensi in sua compagnia. – **15.** Ha corso cento metri poi è crollato. – **16.** Questo ragazzo è migliorato costantemente. – **17.** La sua carriera è cominciata così. – **18.** Sono esistiti i documenti precedenti. – **19.** È penetrato il gas nella stanza. – **20.** Ultimamente sono cresciute le vendite dei computer. – **21.** Non è servito il tuo intervento. – **22.** Sonia è dimagrita da quando non ha più lavoro.

❸ **1.** Ha potuto farlo senza problema. – **2.** Sono dovuto andare ad avvertirlo subito. – **3.** Nonostante lo sciopero, è potuto partire. – **4.** Ho potuto contattarlo. – **5.** Ha voluto essere suo amico ma non c'è stato niente da fare. – **6.** Si sarebbe dovuto prevedere tutto prima dello spettacolo. – **7.** Il poliziotto è dovuto intervenire per separarli. – **8.** Sarebbe voluto venire ma era troppo tardi. – **9.** Hai potuto sostituirlo. – **10.** Siamo dovuti atterrare a Genova e non a Milano com'era previsto. – **11.** Sarei dovuto rimanere fino a mezzanotte per finire questo lavoro. – **12.** È dovuto tornare dopo la riunione per sistemare tutto.

❹ **1.** La trasmissione è stata vista da tutta l'Europa. – **2.** Il televisore sarà riparato dal tecnico alla fine della settimana. – **3.** Il pacco è stato spedito dalla segretaria ieri sera. – **4.** Le spese di condominio sono già state pagate dai proprietari. – **5.** I campi erano coperti da un alto strato di fango. – **6.** La nuova galleria è stata inaugurata dal Presidente della Repubblica. – **7.** La vendita di tutte le terre è stata curata dal notaio. – **8.** La partita Italia-Francia sarà commentata dal giornalista. – **9.** Il tenore è stato applaudito da un folto pubblico. – **10.** Il postino è stato spaventato dal cane. – **11.** Sono stati presi numerosi provvedimenti dal Consiglio di Facoltà. – **12.** La mostra su Giorgio Morandi è stata organizzata dal conservatore. – **13.** Due bambini vietnamiti sono stati adottati da questa famiglia. – **14.** La gita a Firenze è stata preparata dal professore di lettere. – **15.** Il ladro è stato inseguito dal vigile.

❺ **1.** Questo ricercatore ha osservato una pianta molto rara. – **2.** Suo padre gli ha dato una lezione. – **3.** La giornalista Natalia Aspesi ha scritto questo articolo. – **4.** La banca ti ha mandato una lettera raccomandata. – **5.** Questo ristorante non accetta gli assegni. – **6.** Uno stilista molto famoso ha disegnato questo modello. – **7.** Il professor Rossi ha curato Marco. – **8.** La polizia ha controllato accuratamente i bagagli. – **9.** I vigili del fuoco hanno effettuato le ricerche. – **10.** La Compagnia Biondi ha allestito lo spettacolo.

25 Les verbes impersonnels

❶ **1.** Ha piovuto a dirotto tutto il giorno. – **2.** Tuona da un'ora ma non scoppia il temporale. – **3.** Pioverà o grandinerà questo pomeriggio. – **4.** Mi dispiace non potervi aiutare. – **5.** Sono cose che capitano. – **6.** Fa troppo caldo oggi. – **7.** Lampeggia. Attenzione al temporale ! – **8.** Può darsi che Sonia venga domani sera. – **9.** Gli è dispiaciuto non essere venuto. – **10.** Mi è sembrato molto malato. – **11.** È successo un incidente sull'autostrada A4.

❷ **1.** Bisogna – **2.** Ci vuole – **3.** conviene – **4.** Bisogna – **5.** occorre – **6.** tocca – **7.** si deve – **8.** Ci vorrà (occorrerà) – **9.** conviene (bisogna) – **10.** bisogna – **11.** occorre – **12.** Ci vuole – **13.** Bisogna.

❸ **1.** Bisognerà prendere provvedimenti contro i furti. – **2.** Per fare la pasta al basilico, ecco cosa occorre (ci vuole). – **3.** Ci vogliono pinoli, basilico, aglio e parmigiano. – **4.** Non si deve sbagliare. – **5.** Bisogna che tu prenda questa compressa alle sette. – **6.** Stava per cadere, ci è mancato poco. – **7.** Non bisogna cedere ad un simile ricatto. – **8.** Gli ci vuole riposo assoluto. – **9.** Mi ci vuole qualcuno per aiutarmi. – **10.** Bisogna che lo faccia prima di domani. – **11.** Non occorre avvertirlo. – **12.** Bisognava che lo vedessi e che ci spiegassimo.

26 Les modes et les temps

▶ 1. L'infinitif

❶ **1.** Nell'udire – **2.** al passare della carrozza – **3.** allo spuntar del sole – **4.** un gran chiacchierare – **5.** Nell'uscire – **6.** Sul finire dell'estate – **7.** nel riposare – **8.** l'aprirsi e il chiudersi – **9.** allo scoppiare – **10.** nel prendere – **11.** Nel vedermi – **12.** Nel ricordare – **13.** Nel preparare – **14.** Con il manifestare – **15.** Al sopraggiungere dell'estate – **16.** nel fare le valigie e nell'uscire – **17.** Nel vedermi – **18.** al sorgere del sole.

❷ **1.** Spero di poter venire. – **2.** Sa di avere un'immagine di uomo pubblico diffidente. – **3.** Capì di essere arrivato. – **4.** Mi ricordo di aver rinunciato a quello che mi interessava. – **5.** Dimostrò di aver capito. – **6.** Penso di finire questo lavoro per le sei. – **7.** Dice di voler tornare negli Stati Uniti. – **8.** Gli pareva di volare. – **9.** È urgente avvertirlo. – **10.** Basta riempire questo modulo. – **11.** È andato a comprare un chilo di mele. – **12.** Sono usciti a prendere una boccata d'aria. – **13.** Capisco di aver avuto torto. – **14.** Ha detto di aver visto tutto. – **15.** Mi sembra di poter vedere queste persone domani. – **16.** Riconobbe di essersi sbagliato. – **17.** Spero di ricevere una lettera prima di (entro) domenica. – **18.** Si sta per partire. Vai a prendere i bagagli ?

▶ 2. Le participe passé

❶ **1.** I dischi che ho sentito sono rari. – **2.** ne ho comprati molti. – **3.** ce n'è voluta con lui. – **4.** Li ho visti. – **5.** Monica è andata. – **6.** ho visto. – **7.** Sonia si è fatta fare. – **8.** Le ho capite. – **9.** Si sono conosciuti. – **10.** Sonia è dovuta andare. – **11.** Samuele ha potuto farlo. – **12.** Quanti CD hai comprato ?

❷ **1.** Tornata a casa. – **2.** Spedita la lettera. – **3.** Data la situazione. – **4.** Posti alcuni limiti. – **5.** Pettinatosi. – **6.** Partito l'aereo. – **7.** Superate le difficoltà. – **8.** Scoppiata la guerra. – **9.** Alzatasi in ritardo. – **10.** Partite alcune persone. – **11.** Trascorsi quindici giorni. – **12.** Aggiunte alcune modifiche. – **13.** Salite di corsa le scale. – **14.** Visti i precedenti. – **15.** Impauritosi. – **16.** Fattosi riconoscere. – **17.** Finite le deliberazioni. – **18.** Ripristinate le comunicazioni. – **19.** Raccolte le castagne. – **20.** Appena cominciata la manifestazione.

❸ **1.** adattato – **2.** spogli – **3.** sveglio – **4.** caricato – **5.** chino – **6.** salvi – **7.** adatta – **8.** stancato – **9.** svegliato – **10.** chinato.

▸ 4. Le gérondif

❶ **1.** Vincendo – **2.** parlando – **3.** potendo – **4.** conoscendo – **5.** Vedendo – **6.** rientrando – **7.** spandendo – **8.** scuotendo – **9.** rifiutandosi – **10.** suonando – **11.** Volendo – **12.** Ricevendo – **13.** facendo – **14.** cercando – **15.** Iscrivendosi.

❷ **1.** Le vendite vanno aumentando regolarmente. – **2.** – Sorridendo, la ragazza si diresse verso di lui. – **3.** Continua, guardando davanti a sé. – **4.** Cerco di capire quello che stai dicendo. – **5.** L'interesse del pubblico va calando a poco a poco. – **6.** Essendosi ammalato il professore, la conferenza fu rimandata. – **7.** Non facendo parte del personale, non potete participare a questo viaggio. – **8.** Sorrideva al suo bambino pur avendo molti pensieri. – **9.** Ricordandosi questo episodio, voleva chiedere maggiori garanzie. – **10.** Non essendo interessato a questo problema, non ascoltava le spiegazioni.

▸ 5. L'indicatif

❶ **1.** L'abbiamo appena chiamato al telefono. – **2.** Aveva appena cambiato la macchina quando ha avuto quest'incidente. – **3.** Il treno parte (sta per partire), sali ! – **4.** Ora ti racconto una barzelletta. – **5.** Stava per uscire quando ha squillato il telefono. – **6.** Che ore saranno ? – Saranno le sei. – **7.** Stavo per rispondergli, sai. – **8.** Sbrigati ! sta per andarsene. – **9.** Eravamo appena usciti quando ha cominciato a piovere. – **10.** Ti ho appena mandato un'e-mail.

❷ **1.** ha fatto – **2.** Vissero/ebbero – **3.** nacque/morì – **4.** andarono – **5.** ha svegliato – **6.** scrisse – **7.** è nata – **8.** hanno comprato – **9.** passai – **10.** abbiamo voluto.

▸ 6. Le conditionnel

❶ **1.** Si chiedeva se avrebbero visitato la sua mostra. – **2.** Ero sicuro che avrebbe potuto farlo. – **3.** I giornalisti affermavano che ci sarebbero stati tafferugli... – **4.** Ignoravo chi avrebbe partecipato alla gita – **5.** Ha telefonato... che avrebbe avuto tre ore di ritardo. – **6.** Diceva che non lo avrebbe detto a nessuno. – **7.** Ha dichiarato che avrebbe dato le dimissioni. – **8.** Il direttore ha detto che fra poco sarebbe uscito un libro... – **9.** L'impresario ha affermato che l'attore non avrebbe più fatto... – **10.** Ero convinto che sarebbe venuto. – **11.** Il farmacista era convinto che questa medicina sarebbe stata efficace.

❷ **1.** Chiunque volesse partecipare al concorso dovrebbe iscriversi prima del 20. – **2.** Uno studente che volesse imparare bene il cinese, dovrebbe fare dei soggiorni linguistici in Cina. – **3.** Nel caso che (nel caso in cui) non aveste potuto avvertirlo, fatelo subito. – **4.** Quand'anche mi desse il doppio, non le venderei questo tavolino. – **5.** Corre come qualcuno che abbia paura. – **6.** Quasi quasi ci andrebbe ma è ancora in dubbio. – **7.** Quand'anche si scusasse, non gli perdonerei. – **8.** Una rete televisiva che desse meno spazio alla pubblicità sarebbe apprezzata dal pubblico. – **9.** Una madre che fosse meno oppressiva farebbe meno male a suo figlio. – **10.** Quand'anche tu le fossi vicino, non cambierebbe nulla. – **11.** Mi aveva promesso che sarebbe venuto. – **12.** Ero sicuro che avrebbe vinto.

▸ 7. L'impératif

❶ **1.** venga/perda – **2.** sii/toccare – **3.** compra – **4.** prenda/legga – **5.** state/fate/tornate – **6.** fate (facciano) – **7.** avvertiamo/andiamo. – **8.** telefoni/prenda – **9.** telefona – **10.** Venite/ascoltatemi.

❷ **1.** Non prepararti e non andare ! – **2.** Non rispondermi e non farlo ! – **3.** Non cercare di spiegarmi ! – **4.** Non partite subito, non correte ! – **5.** Non comprarmeli ! – **6.** Non andare... – **7.** Non fumate... – **8.** Non leggermi. – **9.** Non pensarci e non agire ! – **10.** Non riempite... e non firmatelo ! (non lo firmate !)

❸ **1.** Non dirmelo (Non me lo dire) ! – **2.** Non prepararti. – **3.** Non vendiamogliela ! (Non gliela vendiamo !) – **4.** Non compriamoli ! (Non li compriamo !) – **5.** Non occupiamocene ! – **6.** Non mandategliele ! (Non gliele mandate !) – **7.** Non portarmelo ! – **8.** Non darmeli ! – **9.** Non lasciamolo ! (Non lo lasciamo !) – **10.** Non vestiamoci e non usciamo !

❹ **1.** Fallo aspettare ! – **2.** Mangiateli ! – **3.** Fammi questo piacere ! – **4.** Parla ! – **5.** Ascoltiamolo ! – **6.** Rispondimi ! – **7.** Digli la verità ! – **8.** Daglielo ! – **9.** Prendimela ! – **10.** Dammeli !

▶ 8. Le subjonctif

❶ **1.** abbia finito – **2.** sia – **3.** sia arrivato – **4.** dica – **5.** faccia – **6.** sia tornato – **7.** piovesse – **8.** venga – **9.** prenotaste – **10.** volesse. – **11.** sia pronto – **12.** venissi

❷ **1.**a. Sono sicuro che Giulia verrà. – b. È probabile che Giulia venga. – c. Non ero sicuro che Giulia venisse.

2.a. Fa di tutto perché nulla possa coglierlo di sorpresa. – b. Ha fatto di tutto perché nulla potesse coglierlo di sorpresa. – c. Faceva di tutto perché nulla potesse coglierlo di sorpresa.

❸ **1.** Sapevo che avrebbe accettato. – **2.** Speriamo che siate tutti soddisfatti. – **3.** Non ho trovato il suo indirizzo benché l'abbia cercato molto. – **4.** Mi sembra che sia troppo tardi. – **5.** Non sopporta che gli studenti chiedano chiarimenti. – **6.** Mi chiedo come abbia fatto. – **7.** Vorrei che i negozi rimanessero aperti più tardi la sera. – **8.** Credo che tu abbia torto. – **9.** Può darsi che lo faccia. – **10.** Bisognava che venisse e (che) gli parlassi. – **11.** Mi chiedo come sia potuto accadere. – **12.** Mi sembra che tu possa contare su di lui. – **13.** Credeva che tu andassi a Roma. – **14.** Volevano che la commissione si riunisse urgentemente.

▶ 9. La concordance des temps

1. Volevo che tu ubbidissi. – **2.** Era necessario che lei facesse queste analisi. – **3.** L'avevano accettato sebbene fosse arrivato in ritardo. – **4.** Faceva (ha fatto) la spesa prima che sua moglie tornasse... – **5.** Ha lavorato fino a tardi affinché tutto fosse pronto. – **6.** Bastava... perché tutto fosse sistemato. – **7.** Venivo a patto che tu invitassi tuo fratello. – **8.** Sono usciti sebbene piovesse a dirotto. – **9.** Per quanto fosse comoda... non mi piaceva andarci. – **10.** Non sapevo se fosse arrivato. – **11.** Era giusto che riuscisse bene. – **12.** Era sufficiente che tu rispondessi al questionario. – **13.** Mi chiedevo come facesse Laura a sopportarlo. – **14.** Era normale che non sapeste la risposta. – **15.** Mi sembrava impossibile che tu fossi già arrivato. – **16.** Mi dispiaceva che tu partissi. – **17.** Pensavo che il congresso cominciasse il 14 settembre. – **18.** Partiva senza che i suoi genitori lo sapessero. – **19.** Bisognava che tu mettessi in ordine queste schede. – **20.** Ho temuto che Simone dovesse prendere provvedimenti urgenti.

27 La syntaxe de la phrase complexe

▶ 1. La subordonnée comparative

1. A volte, le favole sono meno lontane dalla realtà di quanto non sembrino. – **2.** È più esigente di quanto io pensassi. – **3.** Il vostro soggiorno sarà più piacevole di quanto possiate immaginare. – **4.** Si comporta come se fosse il direttore. – **5.** La giornata è stata più bella di quanto non avessimo sperato. – **6.** La conferenza è stata meno interessante di quanto l'avessimo immaginato. – **7.** Il professore è più severo di quanto pensassi. – **8.** Andrete così veloce come potrete. – **9.** Ci ha guardati come se non ci avesse mai incontrati. – **10.** Rideva come se volesse dimenticare tutto.

▸ 2. La proposition concessive

❶ **1.** abbiano. – **2.** ci fosse. – **3.** avesse. – **4.** siano. – **5.** sia. – **6.** avesse. – **7.** tratti. – **8.** vada. – **9.** fosse. – **10.** faccia.

❷ **1.** Aspetto una sua visita benché non mi abbia avvertito. – **2.** Benché conosciamo bene la regione, c'è sempre qualche cosa da scoprire. – **3.** Per quanto sia intelligente non riuscirà. – **4.** Per quanto siate furbi, non riuscirete a ingannarlo. – **5.** L'hanno accettato benché si fosse presentato in ritardo. – **6.** Per quanto interessante sia la conferenza, nessuno ci vuole andare. – **7.** Anche se cambiate parere, l'affare è concluso. – **8.** Anche se tu partissi molto lontano, non risolveresti i tuoi problemi. – **9.** Anche se me lo aveste giurato, non ci avrei creduto. – **10.** Va piano anche se è in ritardo. – **11.** Per quanto tratti i suoi affari onestamente, nessuno ha fiducia in lui. – **12.** Per quanto sia dottore, non sa far bene le iniezioni. – **13.** Benché tu abbia dato facilmente quest'esame, c'è ancora molto da fare. – **14.** Per quanto sia Presidente del Consiglio, ho l'impressione che non cambierà niente.

▸ 3. La subordonnée conditionnelle

❶ **1.** Se fossi ricco... farei... – **2.** Se studiassi... potresti... – **3.** Se tu venissi, ti farei vedere... – **4.** Se imparassimo... sarebbe... – **5.** Se tu arrivassi in ritardo... ci sarebbe... – **6.** Se passassi... verresti... – **7.** Se tu perdessi... ti accompagnerei... – **8.** Se tu comprassi... potrei... – **9.** Se ci fosse... prenderemmo... – **10.** Se tu andassi... rischieresti...

❷ **1.** Se fossi stato... avrei fatto... – **2.** Se tu avessi studiato... avresti potuto... – **3.** Se tu fossi venuto... ti avrei fatto vedere... – **4.** Se avessimo imparato... sarebbe stato... – **5.** Se tu fossi arrivato... ci sarebbe stato... – **6.** Se tu fossi passato... saresti venuto... – **7.** Se tu avessi perso... ti avrei accompagnato... – **8.** Se tu avessi comprato... avrei potuto... – **9.** Se ci fosse stato... avremmo preso... – **10.** Se tu fossi andato... avresti rischiato...

❸ **1.** passaste. – **2.** avessimo studiato. – **3.** avessi. – **4.** venga. – **5.** sia. – **6.** prendessi. – **7.** sia (fosse). – **8.** stia bene. – **9.** accompagnassi. – **10.** comprassimo.

❹ **1.** fosse. – **2.** fossi. – **3.** vuole. – **4.** era. – **5.** parta. – **6.** volesse. – **7.** sia. – **8.** si riposi. – **9.** inviterai. – **10.** veniate. – **11.** fosse/voleva. – **12.** hai. – **13.** arrivi. – **14.** vengano. – **15.** l'avrai imparata. – **16.** se ne vada. – **17.** è. – **18.** stiano. – **19.** vincesse. – **20.** cercasse. – **21.** decidano. – **22.** sei. – **23.** legge. – **24.** prevedesse. – **25.** fosse rotto. – **26.** arrivasse. – **27.** capissero. – **28.** valga. – **29.** chiedessi. – **30.** sia. – **31.** fosse successo. – **32.** volesse. – **33.** avessi lasciato. – **34.** sapesse. – **35.** avrebbe aiutato. – **36.** parta. – **37.** visiterai. – **38.** si lamentino. – **39.** dicessero (avessero detto). – **40.** sia tornato. – **41.** pensassi. – **42.** fosse. – **43.** conoscessi. – **44.** proceda. – **45.** abbia. – **46.** prendano. – **47.** era. – **48.** aiutasse. – **49.** avesse voluto. – **50.** ci sia.

Index grammatical

D

E

F

G

H

I

Q

R

S

Imprimé en Italie par GRAFICA VENETA S.p.A.
Dépôt légal 1re édition : février 2004
N° de projet : 10103189 - Dépôt légal : février 2004